앓음다운 당신에게

앓음다운 당신에게

이은하

유하경

이 음

박지혜

김영조

김승아

제 이

에 그

박태영

인생은 참 이상하다. 쉽게 되는 일은 없다. 평범하기가 제일 어렵다. 술술 풀리면 좋으련만. 모습이 다를 뿐이지 역경과 시련, 고난은 누구에게나 온다. 도무지 출구가 보이지 않을 만큼 고달플 때는 어딘가 내가 잘못 산 거 같다고 여기게 된다. 몹시 앓았던 기억은 새로운 도전을 가로막기도 한다. 잔뜩 힘을 주고 버텨내는 것, 견디는 것. 어쩌면 우리 모두는 그렇게 살아가고 있는지도 모른다.

아름답다는 말은 '앓다'로부터 나왔다고 한다. 번데기가 누에고치를 힘겹게 뚫고 나오는 과정은 앓음 답기에 아름답고, 번데기의 고단한 발버둥이 있기에 날개를 펼친 나비도 아름답다는 것이다. 우리가 아름다워지는 과정에 놓여있을 뿐이라면 다시 힘을 내봐도 좋지 않을까.

글ego 글쓰기 프로젝트로 모인 우리 아홉 명은 각자의 앓음에 대해 썼다. 나 또는 나의 아이가, 나의 부모가, 내 곁의 사람들이 이미 겪거나 또는 앞으로 겪을지 모르는 앓음의 순간들을 에세이와 소설로 기록해보았다. 당신의 고민과 맞닿아 있을지도 모른다. 대단한 스펙터클이나 굉장한 스토리는 없지만, 읽다 보면 저들의 이야기가 꼭 내 이야기 같다고 공감하게 될지도.

우리의 글이 당신에게 작은 힘이 되기를. 앓음답기에 아름다운 당신의 일상을 응원한다.

- 공동저자 中 유하경

차례

나는 떠올랐다가
다시 떨어지겠지

이은하

이은하　　어른이 된다는 것은 더 단단한 사람이 된다는 뜻인 줄 알았지만, 막상 어른이 되고 나니 눈물이 늘어난 외강내유의 사람. 혼자인 시간을 사랑하지만 동시에 함께이고 싶은 사람. 인생의 크고 작은 아쉬움에 마음 저려 하면서도 최선을 다해 후회하지 않고자 하는 사람. 내일도 출근을 하지만 오늘은 길가의 꽃을 보며 대견해 하는 사람. 그런 나를 쓰며 달래며.

instagram: @reeunha

blog: blog.naver.com/tired_kemployee

누군가를 사랑하게 된다는 것은 드물고 어려운 사건이다. 그것은 내 시간과 마음을 내어준다는 뜻이며, 또한 나에게 상처 입힐 수 있는 정도의 거리로 상대를 초대한다는 뜻이기도 했다. 그렇다 보니 새로운 만남은 언제나 두려웠다. 첫눈에 반한다거나, 잘 알지도 못하는 사람과 단숨에 사랑에 빠진다거나 하는 일들은 나의 풋풋했던 시절에 이미 다 끝나버렸고, 몇 차례 연애 끝 상처투성이의 나는 고작 몇 시간짜리 만남 몇 번에 마음을 열기도, 나를 다 보여주기도 어려운 어른으로 자라있었다. 그러니 소개팅이란 나에겐 늘 불리했다.

그 사람은 20분을 늦었다. 비가 오던 토요일 저녁이었고, 창가 자리에 앉았던 나는 창문에 서린 김 위로 스마일을 그리면서 그를 가만히 기다렸다. 미리 주문해 둔 나베가 세팅되었고 조금 배가 고픈 것도 같았다. 새로운 만남이 기대가 된다거나 혹은 그가 늦는 것이 언짢았다기보다는 숙제 같은 이 만남을 어서 해치우고 쉬고 싶다고 생각했던 것 같다. 문이 바로 보이는 자리에 앉은 바람에 의식적으로 고개를 돌려 창밖으로 번진 가로등 불빛을 응시했다. 얼마 후 문을 열고 들어온 한 남자가 인사를 건네며 뿌옇게 변한 안경을 벗었다. 그는 남색 니트에 짙은 코트를 입고 있었다. 코트를 벗어 옆 의자에 걸쳐두고는 맞은편에 앉아 하얀 손으로 안경을 닦았다.

"많이 기다리셨죠. 빨리 오려고 택시를 탔는데, 기사님께서 길이 조금 헷갈리셨나 봐요…."

그는 낮고 예의 바른 목소리로 미안함을 표하고는 다시 안경을 썼다. 그리고 그때 말도 안 되는 일이 벌어진 것이다. 30대 중반인 내가 생전 처음 보는 사람에게 말 그대로 반해버린 사건.

그 사람과는 그날 4시간 정도를 얘기했고, 그 후로 한 번 더 만났다. 오래 닫아두었던 마음이 속절없이 열리고 있었다. 나는 이상하게 편안했고, 자꾸만 다음에 함께 하고 싶은 일들이 떠올랐다. 빨리 더 가까워지고 싶어. 더 알고 싶어. 겨우 잡고 있던 문 틈새로 마음이 자꾸만 달려 나갔다. 그리고 두 번째 만남이 끝난 후 그분의 다정하고도 단호한 장문의 인사로 어쩌면 인연일 수도 있었을 끈의 한끝은 갈 곳을 잃었다.

얼마 전 평소에는 그저 방치해두던 '카카오톡 친구 목록'을 새삼 보게 되었다. 수백 개의 이름들 중 누구였나 떠오르지 않을 정도로 생경한 이름이 있는가 하면 마치 그리운 향기처럼 가슴을 먹먹하게 하는 이름도 있었다. 함께 뛰어놀다 헤어질 땐 엉엉 울던 아빠 친구의 딸, 체육복 바지에 교복 마이를 입고 매점으로 달리기하던 단짝 친구, 마음을 다 꺼내 줄 만큼 사랑했던 지난 연인들, 내가 존경하던 첫 회사의 팀장님…. 그 많은 인연들은 언제 내 삶에서 사라졌을까. 나는 그게 언제부터 괜찮았을까.

사실 나는 인연이란 것에 크게 아쉬움이 없었다. K 장녀, 게다가 경상도에서 성장기를 보낸 나로서는 애당초 자주 연락하고 다정히 챙기는 살가운 사람이 아니었을뿐더러, 어린 시절 잦은 이사와 전학으로 수없이 많은 이별을 겪었기도 한 터였다. 한쪽의 마음만으로 유지될 수 없는 것, 마치 내 살처럼 가까웠어도 어느 순간 처음부터 몰랐던 사이인 양 멀어지는 것, 세상의 많은 우선순위들로부터 밀리기도 지기도 하는 것이 인연인 것 같았다. 그래서 멀어지는 존재들의 결정을 이해했고, 존중했다. 나 또한 그렇게 멀어지기도 사라지기도 하니까.

물론 항상 그렇게 생각해 온 것은 아니다. 서툴던 첫 연애가 끝났을 때의 난 그렇게 담담하진 않았다. 나보다 먼저 끝나버린 그의 마음이 아쉬워 어쩔 줄 몰랐다. 고장 난 수도꼭지로 하염없이 마음이 쏟아져 내렸고, 그걸 도통 막을 방법이 없었다. 결국 그 마음이 바닥이 날 때까지 우는 것, 다시 나를 사랑해달라고 보채는 것이 내가 할 수 있는 유일한 대처였다. 인연이란 나의 노력으로 다시 이어질 수도 있는 것이라고 믿고 싶었을까. 그런 나에게 그 사람은 "운다고 달라지는 것은 없어."라고 말했었다.

그 시절의 내가 이별의 아쉬움을 대하는 방법은 훨씬 더 어렸던 7살 때와 크게 다르지 않았던 것 같다. 눈이 크고 피부가 하얗던, 단발머리의 그 친구는 다른 지역에 살던 아빠 친구의 딸이었다. 처음 그 친구를 소개받았을 때 나는 인형 같은 그 아이를 보며 괜스레 부끄러워져 엄마 다리 뒤로 숨었다. 여느 어린아이들이 그렇듯 어느새 두 아이는 온 마당을 뛰어다니며 세상에서 제일 친한 친구처럼 깔깔댔고, 저녁이 되어 헤어져야 할 땐 마치 세상을 잃은 듯 서러운 눈물을 뚝뚝 흘리며 울었다. 반나절 같이 보낸 그 친구가 그렇게 소중했을 리는 없고, 그때 그렇게 울던 7살 어린아이의 마음을 돌이켜 헤아려보자면 아마도 나는 아쉬웠겠지, 오늘 보면 이제 또 오래 못 본다는 것이. 아마도 나는 아쉬웠겠지, 이제 막 너를 알 것 같은데 지금 헤어져야 한다는 것이. 7살의 어린 나는 아쉬움이란 감정이 낯설었을 테다. 엉엉 우는 것밖에 그 감정을 표현할 길이 없었을 테다.

어른들은 그럴 때 아이들에게 이렇게 말한다. "다음에 또 놀면 되지", "금방 볼 거야", "열 밤만 자고 만나자~" 그럼 아이들은 그 말을 믿고 눈물을 닦는다. 그래 우리 금방 다시 볼 수 있나 보다. 그렇게 열 밤을 세어 다시 못 만나게 되더라도 금세 잊혔던 걸 보면 어른들의 임시방편이 효과가 있긴 했었다.

하지만 그런 공식은 어른들끼리의 세계에서는 통하지 않는 것 같았다. 어른들은 이미 때로 다음이란 없기도 하다는 것을 너무 잘 아니까.

어떤 큰 이별은 나를 둘러싸고 있던 하나의 세계가 사라지는 것 같은, 낯선 세상에 홀로 남겨진 듯한 느낌을 준다. 그 낯선 세상에서는 익숙한 일상도 생경하다. 속절없는 이별 앞에 터져 나오는 울음을 삼키는 법을 배운 건 직장인이 되어서였다. 나의 가장 가까웠던 친구를 나는 어른이 되고서도 자주 울었다.
때로 울음은 남겨진 마음을 쏟아내는 유일한 방법 같기도 했다.
마음을 쏟아버린 자리에 남는 것은 텅 비어버린 구덩이뿐이었다.
그 구덩이를 마주하는 일은 꽤나 버거워
나는 꾸역꾸역 울음을 참기도 했다.

잃어버린 날이었다. 그 친구는 나와 아주 어린 시절부터 오랜 시간 함께해 온 사람이었고, 헤어지기 전에는 3년간 아주 작은 집에서 룸메이트로 지냈었다. 함께한 시간이 길어 때로 성가신 날들도 있었을 것이나 대체로 아주 사랑스러운, 어딜 가도 자랑할 만한 내 사람이었다. 그녀와의 이별은 살을 떼어내듯 아팠기 때문에 지금까지도 그 일을 제대로 돌이켜 기억해 본 적이 없다. 그저 나의 어떤 모습들이 그녀의 가치관과는 달랐던 것이 헤어짐의 발단이었을 것이라 추측하는 것으로 그녀의 마음을 어림잡아 볼 뿐이다.

외줄로 된 평행선을 걷듯 좁혀지지 않는 시간을 아슬아슬하게 이어가다 결국 이별을 마주하게 되었을 때, 나는 내가 그 아이를 얼마나 사랑하는지 깨달았다. 그리고 그녀가 없는 삶을 얼마나 상상할 수 없는지도. 이별의 원인을 누군가에게 두고 싶지는 않았다. 왜 나를 조금 더 이해해 줄 수 없냐고 원망하거나 따져 물을 수도 없었다. 우린 다 어른이니까. 충분히 그런 결정을 할 수 있으니까. 다만 이렇게 오랜 세월을 쌓아온, 나를 가장 잘 안다고 확신했던 사람조차 한순간에 나를 떠날 수 있다고 생각하니 인연이란 어쩌면 참 가벼운 것이란 생각이 들 뿐이었다.

그때 이후 나는 한 번의 연애를 했었다. 무너진 세계가 천천히 다시 세워졌고, 어지러운 마음에 따뜻한 봄비가 내렸다. 그 사랑은 내가 주저앉으려 할 때 오래 앉아있어도 되는 방석이 되어주기도, 모든 것을 포기하고 싶어졌을 때 가장 아름다운 여행지가 되어주기도 했다. 그는 깊이 파인 끝없는 구덩이 속으로 계속해서 사랑을 부어줬고, 그 구덩이가 메워질 때쯤 떠났다. 사람이 만나고 헤어지는 것, 모든 만남에 끝이 있는 것은 자연스러운 일인듯싶었다. 하지만 이토록 마음을 나누고 영원을 약속할지라도 결국 홀로 서야만 하는 것이 인생이라면, 수많은 구덩이를 끌어안고 살아야 하는 것이 인생이라면, 나는 마음을 떼어주는 일을 그만하고 싶었다.

시간이 흐르면, 서로의 상한 감정이 가라앉고 나면 다시 얘기해 볼 수 있지 않을까. 더 많이 이해할 수 있지 않을까. 그럼 다시 예전처럼 지낼 수 있지 않을까. 나는 어릴 적 체득한 대로 헤어짐의 아쉬움을 입은 마음에 새로운 기대를 연고처럼 발랐다. 어떤 기대들은 금세 스며들고 흔적도 없이 사라지기도 하지만, 어떤 기대들은 오래 버텨 실망을 남기기도 했다. 기대를 바르고 실망을 남기는 일들이 반복될수록 내성이 생겼다. 더 이상 기대로도 덮어지지 않는 아쉬움을 마주하게 되는 것이다. 시간은 힘이 없었고, 기대를 품어 달라지는 것은 없었다. 나는 여전히 그 이별 속에 있었다. 우리는 아직 그 평행선 위에 있을까 아니면 조금씩 서로를 향해 기울어지고 있을까. 시간이 지나면 어디에선가 마주칠 수 있을까. 아니면 그때 그 이별이 영영 끝이었을까. 아쉬움 가득한 의문만이 남았을 뿐이다.

어떤 인연은 아주 오래 곁에 머물지만, 어떤 인연은 그저 스쳐 간다. 한 철을 머물기도, 몇 해를 머물기도 한다. 머무는 시간이 아쉬움과 비례하지는 않는 듯하다. 나의 마음의 속도와 상대방의 마음의 속도가 달라 혼자 남겨지게 되었을 때, 지난 시간들은 구간 반복 재생되곤 했

어쩌면 인연은 세상의 다른 모든 것들처럼
처음부터 예견된 수명이 있는지도 모른다.
그 시간의 길이가 나의 바람과 다른 것이
그 시간이 끝나버린 것이
그저 나만의 책임일 리가 없다.

다. 내 말이 너무 날카로웠을까 아니면 너무 부담스러웠나, 조금 더 천천히 다가갔어야 했을까 아니면 더 다정했어야 했나, 너무 속 보이게 웃었을까 아니면 오해할 만큼 냉정했나. 오랜 인연이 떠나갈 땐 내가 어떻게 했어야 다른 결말이 있었을지 고심했고, 잠시 머문 인연이 떠나갈 땐 다각형의 사람인 내가 겨우 꺼내놓은 한 면만으로 평가받은 것만 같아 속상했다. 인연의 수명이 다한 것이 마치 나의 책임인 것만 같은 부채감이 쌓였다.

크고 작은 이별 앞에서 울음은 늘 목 끝까지 차올랐지만 더 이상 나는 어리지 않았고, 수업을 빠지듯 회사를 빠질 수도 없었으며, 눈물이 난다 하여 아무 데서나 주저앉아 울 수도 없었다. 나는 대신 속도를 낮추기로 했다. 누군가를 알아가기 위한 속도, 마음을 여는 속도를. 나는 누구에게든 곁을 줄 듯 친절했지만 조금이라도 너무 가깝다 여겨지면 몇 걸음이고 물러섰다. 나를 중심으로 하는 원을 그려 그 원 안으로는 아무도 들이지 않겠다고 다짐한 사람처럼, 원 밖의 인연들이야 오고 가는 것이 뭐 그리 큰일이겠냐는 듯이. 마음을 섣불리 내어주지 않으면 스쳐 가는 인연이 아쉬울 일이 없었다. 기대를 할 일도 없었다.

특별한 기대 없이 사는 일상은 평안했다. 주어진 하루의 빈틈에 소소하지만 정확하게 나를 행복하게 하는 일들을 채워 넣었다. 예를 들면 나를 위해 꽃을 사고, 책을 읽고, 매운 음식을 주문하는 것 같은 일들. 스스로 행복해지는 법을 알아가는 것이 좋았다. 때때로 나에게 여행도 시켜주었다. 나에게 맛있는 것을 먹이고 좋은 것을 보여주며 그간 지쳐있던 마음을 다독여주었다.

나는 이것을 매우 어른스럽다고 생각했다. 주어진 하루를 충실하게 나를 위해 사는 것, 부정적인 감정에 집중하지 않는 것. 누군가에게 나의 기분을 의탁하기보단 나 스스로 행복을 발견할 수 있는 법을 아는 것. 바라는 것이 없으니, 무엇보다 실망할 일이 없었다. 행복의 최대치가 100이라면 나의 매일은 늘 30언저리였지만, -100이 될 일도 없었기에 만족스러웠다. 아주 크게 기쁠 일도, 크게 슬플 일도 없는 보통의 날들이 지속되었다. 그리고 나는 안전하다고 느꼈다.

그러는 동시에 나는 여러 새로운 사람들을 만났다. 늘 적당한 거리를 유지했지만 여전히 즐거웠고, 오히려 그런 거리감 있는 만남이 더 안정감 있다고도 생각했다. 나를 잘 모르는 사람들에게 내가 보여주고 싶은 만큼의 나를 보여주는 것, 그 정도로도 관계란 충분하다고 생각했다. 그러나 얕은 관계일수록 더 빠르게 소멸하였고, 내 주변에는 사람들이 많다가도 적다가도 했다. 마음을 내어주지 않으면서 그들의 머무름을 바랄 수는 없었다. 나는 종종 누군가의 마음에 들려 애쓰는 일이 버겁다고 느꼈다. 다시 사랑을 받거나 혹은 줄 수 있을 것이란 기대를 하며 서둘러 마음을 열기보단 혼자여도 괜찮은 날들을 많이 만드는 것에 집중했다. 그것이 나를 잘 지키는 방법이라 생각했다.

하지만 이따금씩 이름을 붙일 수 없는 감정들이 드러나곤 했다. 이 공허함이 외로움인지, 만족감인지 아니면 그저 허기가 진 것인지. 이 답답함이 억울함인지, 두려움인지 아니면 그저 소화가 잘되지 않는 것인지. 나는 그 모호함을 정의하기보다는 외면하는 것을 택했다. 그곳을 응시하다 잠식된다면 다시 헤어 나오는 데엔 또 오랜 시간이 걸릴

터였으므로. 해소되지 않은 감정들 위로 색색깔의 예쁜 천을 돌아가며 덮었다. 눈에 보이지 않으면 때론 없는 것처럼 느껴졌다. 하지만 내 다짐보다 얇았던 그 예쁜 천은 바람이 불면 가끔 들썩였고, 그럴 땐 참 쓸쓸하단 생각이 들기도 했다.

그렇게 내가 한참 홀로서기 연습을 하던 중에도 멀어지지 않고 위성처럼 존재해 준 사람들이 있었다. 그들은 적당한 거리에서 꾸준하게 나를 향해 반짝여주었고, 수시로 나를 챙겨주었다. 계속해서 혼자가 좋다고 말하던 나에게 너는 충분히 사랑받을 만한 사람이라고, 사랑으로 더 충만해지는 삶을 살길 바란다고, 너는 포기했을지 몰라도 나는 사랑으로 가득 찬 너를 기대하는 것을 포기하지 않을 거라고 말해주었다. 그들은 세상에 존재하는 모든 아름다운 단어들을 가져와 나를 치장해 주었고 나는 계속해서 그들을 부정했다. 내가 얼마나 혼자서도 잘 살 수 있는 사람인지 반복적으로 증명하면서. 하지만 내심 나는 그들 덕분에 참 따뜻하다 여겼다. 그 예쁜 단어들은 오래 내 안에 남아 단단히 두 발을 딛고 서게 했다.

볼이 시릴 정도로 추웠던 겨울의 어느 날이었다. 오랜만에 연락이 닿은 친구와 저녁을 먹게 되었다.

"그동안 어떻게 지냈어? 웬일로 저녁을 다 먹자고 하고."

조금은 어색하게 시작한 대화에 조심스럽게 그 친구가 웃으며 이야기를 꺼냈다. 최근에 큰 이별을 겪었다고, 그래서 오래 아팠다고. 지금은 다 괜찮아졌다고. 하나도 괜찮지 않을 법한 얘기를 담담하게 이어

가는 그 친구를 보며 나도 내 예쁜 천 아래 가려두었던 아픈 것들을 꺼내 놓았다.

"사람이 참 쉽지 않다, 그치."

저녁을 다 먹고 옷깃을 여미며 지하철역으로 걸어가다가, 비교적 오래된 내 아픔에 비해 여전히 선홍빛일 것만 같은 그 친구의 마음이 안타까워 괜찮다면 내가 한번 안아줘도 되겠냐고 물었다. 웃으며 두 팔을 벌린 그 친구를 끌어안고 토닥였다.

"고생했어. 너무 애썼어. 미안해, 너 힘든 줄도 몰랐네, 난…."

나는 그 친구의 마음을 위로해 주고 싶었다. 그런데 정작 위로를 받은 것은 나였다. 내가 건넨 위로의 말이 내 귀를 타고 들어와 내 마음에 묵직하게 내려앉았다. 그래, 나 애썼네, 그동안.

허전한 마음이 채워지고, 다시 기대를 품을 수 있는 용기를 갖게 되기까지, 다시 누군가를 마음에 초대할 수 있게 되기까지 받아야 하는 위로의 총량이 있었던 것 같다. 그리고 그 친구를 품에 안고 있는 동안 그 총량이 드디어 다 채워진 것만 같았다. 내 안에 자리 잡고 있던 무엇인가가 조금은 가벼워진 것 같은, 굳게 잠겨있던 것들이 풀어지는 것 같은 느낌이 들었다. 어쩌면 사람은 계속해서 누군가를 사랑함으로써 스스로를 치유하고 내일을 기대하게 되는 것일지도 모르겠다고 생각했다. 반창고가 덕지덕지 붙은 마음을 한 채로 "나는 그래도 다시 기대할 거야"라고 말하던 그 친구처럼.

1999년, 초등학교 시절의 나는 반장에 골목대장까지 하던 꽤나 당차고 빳빳한 어린이였다. 500원이면 학교 앞 문방구에서 부자가 될 수 있던 그 시절엔 다마고치가 한창 유행이었다. 그 작은 게임기가 어찌나 갖고 싶던지, 친구들이 다마고치 두 개를 마주 붙여 게임을 할 때면 어깨너머로 '우와'를 연발하며 보곤 했다. 봄이면 논밭에서 개구리알을 뜨고, 기껏해야 공기놀이나 팽이치기를 하던 어린이에게 5,000원짜리 다마고치는 감히 넘볼 수도 없었다.

"너도 엄마한테 하나 사달라고 해"

친구의 말에 나는 연두색 팽이를 줄에 감아 꼭 쥔 채 가슴을 내밀며 소리쳤다.

"그거보다 이게 더 재밌거든!"

집으로 돌아가던 길 문방구에 걸려있던 핑크색 다마고치를 한참 동안 쳐다보았다. 갖고 싶지 않은 척했지만 사실 되게 갖고 싶었다.

그로부터 20년이 훌쩍 지났음에도 나는 여전히 그때와 똑같다. 사실은 나도 곁을 내어 주고 싶어. 사실은 나도 걱정 없이 마음껏 사랑하고 싶어. 그런 진심은 뒤로 숨겨둔 채로, 계속해서 혼자여도 괜찮다고 하는 것. 지금이 충분히 만족스럽다고 하는 것. 나는 결국 가질 수 없다 여겨지는 것들을 갖지 않겠다고 선포함으로써 그 아쉬움을 가려두려 했는지 모른다. 그러니까 사실은 나도 완전히 혼자이고 싶었던 것은 아니었다. 누군가는 나에게 "맞아, 너 가끔 선 그어"라고 말했지만, 사실 선을 긋고 싶었던 것은 아니었다. 나는 그저 조금 두려웠을 뿐이다. 누구라도 그 선을 넘어와 준다면, 손을 잡아 일으켜 준다면, 나는 못 이기는 척 그 손을 잡고 싶었다. 언제나 내 편에 서 줄 사람, 나를 안아줄 사람, 사랑을 주고받을 사람, 그런 누군가가 계속 필요했었다.

  그 사람의 정중한 마지막 인사말에 나 또한 성숙한 사회인으로서 예의 바른 작별 인사를 남겼고, 이번 만남도 여느 다른 소개팅들처럼 금세 이름도 얼굴도 기억나지 않을 줄 알았다. 하지만 너무나 당황스럽게도 그 후로 2주간 매일 나는 겨우 2번 만나 도합 8시간을 함께 보낸 그 사람을 생각했다. 정말 웃기는 일이 아닐 수 없었다. 그에 대해 뭘 안다고.

  처음 하루 이틀은 그냥 작은 아쉬움 정도로 치부했었다. 그리고 약간의 체념을 곁들인 기대 연고를 준비했다. 그래 뭐 어쩌겠어, 어쩔 수 없지 뭐. 다음에 또 마음에 드는 누군가를 만날 수 있겠지. 하지만 나흘이 지나도 여전히 '그와 함께 하고 싶은 일들'이 떠올랐고 나는 이 어이없는 마음이 도대체 어떤 마음인지 알고 싶어졌다. 아래는 그즈음 내가 썼던 일기 전문이다.

  「참나. 겨우 두 번 만남에 좋아하게 된다고? 이런 일은 불가능하다 생각했는데 왜 이렇게 머릿속에 가득할까. 사실은 '좋아한다'의 어떤 긍정적이고 달콤한 감정의 영역이 아니라 거절당했다는 것을 받아들이지 못하는 분노나 화가 아닐까? 아니면 괜히 또 기대를 품었으나 결국 이렇게 되었다는 것에 대한 실망이나 좌절이 아닐까? 그 사람에 대한 호감이 있었던 것은 맞으나 내가 그렇게 한 번에 사랑에 빠질 수 있는 사람일 리가 없으니, 그렇다면 역시 화나 실망일 가능성이 높다. 그래, 그렇다. 그렇게 생각하니 마음이 한결 편하다. 내가 요즘 면접이니 서류 지원이니 우수수 다 떨어지는 중에 이것까지 이렇게 되니 연이은 거절에 마음이 주저앉은 것이다. 그래. 괜찮아. 그럴 수도 있지. 그냥 차선 변경을 할 때 절대 안 끼워주는 차를 만난 것처럼 언제 어디서든 일어날 수 있는 일인 거다. 조금 지나면 또 어딘가엔 내가 필요할 것이고, 누군가에겐 내가 호감일 것이다. 모두가 다 나랑 맞을 수는 없다는 것을 인정해야 한다.」

그래, 아쉬운 것이 아니라 나는 자존심이 상했던 걸까. 날것의 감정을 들여다보고 이름을 붙이니 넘실대던 마음이 조금은 가라앉는 듯했다. 나는 알고 있다. 나 또한 아무 특별한 이유 없이 누군가를 거절한 적이 있고, 내 안의 시끄러움을 이유로 떠난 적이 있으며, 잘못한 사람이 없어도 인연은 자연스럽게 끊어지기도 한다는 것을. 그것의 이유가 꼭 나의 어떠함에 있지 않을 수도 있다는 것을. 그러니 움츠러들지 않아도 된다는 것을.

그럼에도 그는 자주 꿈에 등장했고, 내 마음은 어수선했다. 누군가를 끊임없이 생각한다는 것 그 자체가 너무 오랜만이었다. 누군가와의 이별이 이렇게나 오래 아쉬운 것도 오랜만이었다. 그러니 이 감정은 소중했다. 그래, 솔직히 말하자면 나는 이 인연이 머물기를 바랐다. 기대라는 것이 하고 싶었다.

나는 평소에 나였다면 절대 하지 않았을 행동을 했다. 3일에 걸쳐 그에게 보낼 메시지를 썼다. 그 사람은 T니까 너무 감성적으로 접근하면 안 될 거야. 이런 말은 좀 부담스러우려나. 좀 더 담백하고 명확하게 써보자. 그리고 수만 번의 망설임 끝에 보내고야 말았다. 다시 한번 보고 싶다는 그 메시지를.

그것은 '나는 당신의 마음에 기대를 가져볼게. 당신은 날 실망시켜도 괜찮아.'라는 뜻이었고 나의 작은 원 안으로 당신을 초대한다는 뜻이었다. 기대를 품는 일은 낯설었다. 온몸이 두둥실 떠오르는 것 같다가도 이내 초조해졌다. 어쩌면 비로소 새로운 무언가가 시작될지도 모른다는 생각에 가슴이 뛰다가도 뒤돌아 도망가고 싶어지기도 했다.

그는 무언으로 답장을 대신했다. 그 사실을 인지했을 때쯤, 내 두 발은 다시 지면에 닿아있었다. 얼마 전까지의 나였다면 괜찮다고 우겼겠지만 지금의 나는 그러지 않았다. 다만 생각할 뿐이었다. '정말 오랜만에 찾아온 소중한 마음이었다'라고. '나도 다시 이런 기대를 품을 수 있는 사람이 되었구나'라고.

아쉬움이 지나간 자리엔 항상 실망만이 남는다고 생각해왔다. 어째서 마음을 떼어준 자리에 허전함만이 남는 것인지, 왜 마음은 서로 주고받았을 터인데 쓸쓸함은 나만의 몫이 되는 것인지. 그런 생각에 오래 잠겨있었다. 그러니 모든 헤어짐의 끝에 미련이나 새로운 만남을 기대로 삼았더라도 결국 결론은 실망이었던 것인지도 모른다. 누군가에게 마음을 다 주고 나면, 남은 마음이 얼마 없을까 두려웠다. 이별을 반복할수록 돌려받지 못한 마음의 크기만큼 구멍 난 마음을 들고 서러워했다.

나를 스쳐 간 많은 사람들을 기억한다. 그들을 만나기 전과 후의 나를 기억한다. 그리고 이제는 모든 인연의 흔적들이 모여 지금의 내가 되었다는 것을 안다. 사랑을 받고 사랑을 줄줄 아는 나, 이별 앞에 좀 결국 오롯이 혼자인 것이 최선인 인생은 없는지도 모른다.
수많은 다짐에도 결국 나를 살아가게 한 것은
내 안에 쌓인 다정한 말과 누군가의 체온이었음을.
그것을 인정하고서야 비로소 볕이 들었고,
그제야 보였다.
가려둔 구덩이마다 피어난 작고 파릇한 것이.

큰 마음을 준 곳엔 커다란 나무가
작은 마음을 나눈 곳엔 귀여운 민들레가
자라날지도 모른다.

더 담담해진 나, 스스로를 더 잘 돌볼 줄 알게 된 나. 이 모든 나는 저 스스로 자라지 않았다. 여러 만남과 헤어짐을 통해 나의 세계는 더 넓어졌다. 상대를 이해하기 위해 대화하지만 오히려 대화 속에서 정리되는 것은 나의 생각인 것처럼, 모든 인연의 끝에서 알게 되는 것은 결국 나 자신이었다.

나는 내가 꼭 더 많이 행복해지길 바란다. 자주 웃고 많이 사랑받기를 바란다. 마음을 주는 것에 주저하지 않기를 진심으로 바란다. 해소되지 못한 아쉬움과 마주해야 할 두려움을 먹이 삼아 단단해진 마음이 이제 녹기 시작했다. 나는 다시 홀로 남을 것이 두려워 머뭇거리지 않기로 했다. 다시 기대를 한다면 난 또 실망하게 되겠지. 때로 나는 떠올랐다가 다시 떨어지겠지. 하지만 그럼에도 나는 기대가 하고 싶어졌다. 떨어지더라도 괜찮은 내가 되고 싶어졌다. 30밖에 안되는 나의 마음에 100만큼의 행복을, -100만큼의 아픔을 초대하고 싶어졌다. 나의 세계는 더 넓어질 테니. 내 마음도 그만큼 더 자라있을 테니.

상처받을 것을 두려워하지 않고, 아직 오지 않은 날들을 설레발치며 미리 단언하지 않고, 그 끝을 섣불리 재단하지 않고, 마주하는 인연들에 기꺼이 내 시간과 마음을 내어주는 일. 나의 작은 원 안으로 초대하는 일. 나는 그 일을 하기로 마음먹었다.

나는, 당신을 기다렸습니다.

내 일상은 단조롭고, 딱히 마음이 가는 다른 누군가를 만나지도 못했거든요. 그래서 기다렸죠. 언젠가 다시 만날 것만 같아서요. 우습죠.

두 번째 만남에서 우리는 서로의 꿈을 얘기했어요. 그때 제가 했던 말과 당신의 대답을 기억하시나요? 저는 언젠가 글을 쓰는 사람이 되고 싶다고 말했습니다. 당신은 "그거 지금도 할 수 있잖아요."라고 대답했죠.

그 순간엔 왠지 그래야만 할 것 같은 기분에 "물론 그렇죠. 하지만 저는 나중에 쓰고 싶어요. 이를테면 은퇴하고 난 후예요."라 태연한 척 대답했지만. 사실은 뒤통수가 얼얼한 기분이었습니다. 제 눈을 자세히 들여다보셨다면 한동안 흔들리던 눈동자를 발견하셨을 거예요.

그러니까 지금 쓸 수 있다는 걸 몰랐던 건 분명 아닌데…. 그럴 생각을 왜 단 한 번도 하지 못했을까요? 그래서 당신과 헤어진 후 당장 글을 쓰기 시작했습니다. 정말 지금도 할 수 있을 것 같아서.

저는 가장 필요한 순간에 가장 필요한 만남을 하게 된다고 믿는 편입니다. 그 만남이 짧던, 길던, 아프던, 즐겁던. 나에게 남겨진 그 인연의 흔적이 그 시절 그 순간에 꼭 필요한 것이었을 것이다, 그렇게요.

그런데 당신과의 만남이 제게 딱 그랬던 거예요. 다른 건 모르겠지만 그때 당신을 만나서, 그런 대화를 나눠서, 그리고 우리가 그 뒤로 만나지 못해서 나는 글을 쓸 결심을 하게 되었다. 나는 결국 겨우 두 번 이야기를 나눈 것이 전부인 낯선 당신으로 인해 작가가 되었다. 어때요?

글을 다 쓰고 나니 후련했습니다.

결국 그때 당신께 닿지 못했던 내 마음이 어쩌면 어느날에 이 책을 통해 닿게 될 수도 있겠다. 그런 생각이 없었던 것은 아닙니다만. 그런 것보다는 내가 뱉어 낸 문장들이 역으로 나를 위로해 주는 느낌이었달까요.

글을 쓰고 다듬는 동안 자신이 쓴 것을 몇 번이고 다시 보게 되잖아요. 어디 어색한 부분은 없는지, 잘못 표기된 부분은 없는지. 그러면서 문장들은 반복해 서 내 안에 들어왔습니다.

나는 당신에 대해 썼으니까, 아니 더 정확히는 당신으로부터 시작된 내 마음 을 썼으니까. 아무도 알아준 적 없는 내 마음을 나 자신이, 내 문장이 계속 다시 알아주는 느낌….

왠지 공감을 받는 것 같았어요.

좋은 문장을 써야겠다. 나를 끌어안는 문장을 써야겠다. 내가 쓰고 내가 보 고 내가 위로받는 그런 문장을. 이렇게 다짐하기도 했습니다.

그러니 우리의 인연이 그때 거기서 끝난 것을 나는 아쉬움이라 부르지 않으려 고 해요.

대신 희망이라 부르면 어떨까요? 그 만남은 글이 되었고 글을 쓰는 것은 제 오랜 꿈이었으니.

엄마 그리고 딜마

유하경

유하경 커가고 있다고 믿는, 아직은 작은 사람. 하면 된다는 말, 여행, 도전을 좋아합니다. 스스로에게, 그리고 나를 지지해 주는 고마운 이들에게 조금 더 친절한 사람이 되고 싶어 글을 써보기로 했습니다. 열심히 써가며, 곧 누군가에게 먼저 다가가 다정한 한마디를 건넬 수 있는 큰 사람이 되고 싶습니다. 그 첫걸음으로 엄마와 함께 다녀온 칠레 여행에 대한 에세이를 썼습니다.

blog: blog.naver.com/rhdtns05

"엄마, 칠레로 가자."

거실 책상에 한지를 펴 놓고 본뜬 국화에 붉은색 물감을 칠하고 있던 엄마가 잠시 붓질을 멈추었다. 그전에 여러 번 여행지에 대해 고민했던 우리였다. 팬데믹 이전에 함께 가려고 했다가 취소했던 대만도, 비교적 비행 거리가 가깝다는 일본도, 예전에 가보았던 태국도 여행지 후보였다. 그곳들을 다 제치고 우리가 칠레를 최종 여행지로 선택하는 데는 꽤 시간이 걸렸다. 마음을 먹는 데 필요한 시간이었다.

한국에서 칠레까지는 28시간 10분. 12시간의 시차. 엄마의 체력이 이 시간차를 버틸 수 있을지, 2주간의 여행 동안 음식이 입에 맞지 않아 힘들지는 않을지 우선 걱정이 앞섰다. 무엇보다 인천에서 로스앤젤레스를 거쳐 비행기를 갈아타고 산티아고로 가는 길에 생길 수 있는 예상하지 못할 어려움들에 내가 잘 대처할 수 있을지도 미지수였다. 아무래도 만만치 않을 것이며, 가보지 않은 길이었기 때문에 두려웠다.

"그래, 가자"

붓질을 잠시 멈추었던 엄마가 다시 국화꽃을 칠하며 말했다. 결심이 담긴 짧고 굵은 한마디였다. 전처럼 주저하지 않고 바로 답을 하는 것을 보면 엄마도 가겠다는 마음을 먹은 듯했다. 엄마의 입에서 가자는 말을 받아 내었으니, 여행 준비를 위해 선택해야 하는 것들은 내 몫이 될 참이었다. 엄마는 뭐든 괜찮다, 네가 원하는 대로 하면 그대로 따라갈 거라고 답할 것이기 때문이었다. 엄마는 항상 선택을 주저했다. 음식점에 가서 먹고 싶은 것을 고를 때도, 옷이나 신발을 살 때도. 원하는 것을 명쾌하게 말하는 법이 없었다. 엄마, 이거 신발 어때? 색도 괜찮고 벗고 신을 때도 편할 것 같고 하면, 괜찮은 것 같은데 뭐가 나은지를 나나 동생에게 물었다. 엄마, 로스로 먹을까? 주물럭으로 먹을까? 하면, 네가 원하는 걸로 해 엄마는 다 괜찮다고 말하곤 했다. 엄마도 신고 싶은 신발이 있을 테고, 먹고 싶은 메뉴가 있을 텐데, 꽁꽁 뒤에 숨긴 엄마의 취향은 좀처럼 알아내기가 어려웠다.

팬데믹과 겹쳐 엄마를 감싼 우울한 감정들도 거기에 한몫을 더했다. 엄마는 좀처럼 웃는 일이 없었다. 체력이 급격히 나빠지기도 했고, 늙어가는 자기 몸을 인정하고 받아들이는 과정이 버거운 것 같았다. 여자가 무슨 직장이냐며 좋아하던 일을 그만두게 만든 시집살이도, 성인이 되어 이제는 자기의 손이 필요하지 않은 두 딸의 뒷바라지도 다 끝났다. 어쩌면 진정한 자기를 위한 시간을 보낼 수도 있는 황금기였지만, 엄마는 그러지 못했다. 엄마가 정말 힘들어하는 것이 무엇인지 확언할 수 없는 이유는 엄마는 나에게 그런 이야기를 터놓고 하지 않았기 때문이다. 엄마가 이모들과 하는 전화 통화 내용이 종종 귀에 들리면 하나씩 알게 되는 엄마의 속 깊은 비밀들이 있었다.

엄마의 불편하고 혼란스러운 마음은 일상생활에 고스란히 드러났다. 건강한 재료로 직접 만들어 먹어야지 밖에서 파는 음식들은 어떻게 씻어서 어떻게 요리하는지 알 수 없다며, 기어코 손수 만드는 음식을 식탁에 내어놓는 엄마였다. 언제서부턴가 엄마는 집에서 요리를 잘하지 않았다. 엄마의 손이 닿지 않은 곳곳이 난잡했다. 한 번 들어서면 좀처럼 출구를 찾기 힘든 미로에 들어서 있는 것처럼, 엄마는 스스로를 집 안에 고립시켰고, 사람들을 만나는 것도 탐탁지 않아 하기 일쑤였다.

나는 그런 엄마를 어떻게 위로해야 할지 몰랐다. 거실에 TV 소리가 가득했지만 우리는 고요했고, 그나마 강아지들을 주제로 대화하고 간헐적으로 웃었다. 팬데믹을 겪은 누구에게나 그러했지만, 참으로 답답한 시간이었다. 암흑과 같은 미로 속에서 엄마가 자신을 찾기 위한 방법으로 선택한 것이 민화 그리기였다. 어느 날 집 근처 골목 입구 지하에 생긴 민화 공방을 스스로 찾아간 엄마는 10만 원을 들여 그리기 도구를 구입했다. 언젠가 해보고 싶다고 했던 취미였다.

엄마의 변화가 반가웠다. 전시회에도 참여해보라고 몇 번 이야기했었는데, 엄마는 아직은 좀 그렇다며 그림을 돌돌 말아 TV 뒤 보이지 않는 곳에 넣어두었다. 거실에 놓인 책상에 한지를 펴 놓고 붓 하나에 집중하고 있는 엄마의 모습이 좋았다. 나는 그런 엄마의 의지에 불꽃을 더해주고 싶었다. 일단 마음을 먹고 나니, 지구 반대편 칠레로 떠나는 여행이 우리에게 무언가를 가져다줄 수 있을 거라는 확신이 들었다. 왠지 이 여행이 우리의 관계도 변하게 해줄 수 있을 것 같았다. 나와 엄마는 마음을 먹었고, 칠레로 떠나기로 했다.

"어서 오세요! 하경 언니, 어머님, ¡Bienvenidas ♥"

산티아고 공항 입국장 문이 열리자마자 나의 눈은 그녀를 찾았다. 그녀는 나와 눈이 마주치자마자 하얀 보드를 오른쪽 왼쪽으로 세차게 흔들며 우리를 맞았다. 한국어로 열심히 글자를 썼을 것을 생각하니 귀엽고, 뭉클하면서도 5년 만의 만남이 드디어 이루어졌음을 실감했다. 드디어 왔구나! 칠레에! 우리는 설렘을 감출 수 없어 서로를 부둥켜안고 재회의 기쁨을 나눴다. 그녀는 함박웃음을 지으며 엄마에게 손을 내밀어 악수를 청했다. 엄마는 두 손으로 그녀의 손을 꼭 잡아 흔들며 이를 드러내고 웃었다. "케이티, 반가워, 너무 오랜만이야. 그동안 더 예뻐졌네!"

그녀의 이름은 카타리네 데 올리베이라. 영어 이름은 케이티. 우리는 2015년 언어 교환 앱에서 만났다. 외국어 배우기라는 목적 있는 만남은 대부분 길게 유지되지 못했지만, 그녀와는 생각의 결이 같아서였을까. 국적도, 언어도, 모습도, 직업도, 사는 환경도 달랐지만 우리는 뭔가 잘 통했다. 그녀가 2018년 한국에 여행을 오면서 엄마와 이모들의 고향 정읍 내장산에 함께 놀러 가기도 했다. 언젠가는 내가 칠레로 가겠다는 그 약속을 5년이 지나서야 지키게 된 것이다.

케이티는 엄마의 예뻐졌다는 말에 익살스러운 표정을 지으며 "그치, 케이티 예쁘지."라고 한국어로 답하면서 엄마의 어깨에 들린 가방을 빼앗아 자기 어깨에 메고 말했다. "어머니, 케이티 집 가자!케이티의 집은 산티아고에서 1시간 정도 걸리는 항구도시 발파라이소에 있다. 산티아고 공항 밖을 나서니 아침 희뿌연 안개가 우리를 감쌌다. 쨍한 남미의 햇살을 떠올렸던 것과는 아주 달랐지만, 그마저도 여행의 설렘으로 쉽게 덮였다. 안개 너머에 파란 바다와 햇살이 가득한 미지의 세계가 펼쳐질 것만 같은 상상을 하게 되었달까. 발파라이소와 푸에르토몬트 그리고 산티아고로 이어질 엄마와의 칠레 여행이 마침내 시작되었다.

발파라이소로 가는 길은 케이티의 이웃사촌 게라르도가 동행해 주었다. 나와 엄마가 장시간 비행으로 힘들까봐 케이티가 미리 그에게 부탁했다고 했다. 발파라이소로 가는 길, 엄마는 차창 너머로 보이는 나무와 꽃들을 관찰하며 말했다. "여기는 선인장이 많네. 다 선인장밭이야. 왜 이렇게 민둥산이 많을까? 칠레가 포도가 유명하다더니 밭이 엄청나게 크네." 엄마가 이렇게 수다쟁이였나? 따뜻한 초코 라테에 넣은 마시멜로처럼 비로소 긴장감이 스르르 녹아내렸다. 엄마는 엄마대로, 나는 나대로, 산 넘고 물 건너 칠레로 가는 여정은 그리 쉽지 않았다. 입국 절차를 밟는 것도, LA와 산티아고에서 긴 대기 줄을 견디며 두 번 심사의 언덕을 넘는 것도. 엄마 옷자락을 손에 꼭 쥐고 허리 뒤에 숨어 있던 어린 날의 나처럼, 엄마는 모든 곳이 새로워 부끄러움과 두려움이 몰려오는 그 여정에서 아이처럼 내게 기대었다. 집에서 내가 서툰 솜씨로 요리를 해보겠다고 칼질하고 있으면, 그러다 손 다친다며 "이리 내, 엄마가 할게, 비켜봐." 하는 엄마였다. 여정 중에 종종 당황해 나의 도움을 청하는 엄마를 보면서 한편으로는 뭉클하면서도, 심장이 콩 내려앉는 듯한 약간은 두려운 책임감이 밀려오기도 했다. 창밖의 풍경이 눈에 들어오는 것을 보니 엄마도 조금은 긴장감을 내려놓은 듯했다.

도착 시간이 가까워질수록 익숙한 풍경들이 보였다. 케이티와 영상 통화를 할 때 뒤에 비치던 곳들이었다. 발파라이소 벽화마을을 벤치마킹해 만든 곳이 부산 감천마을이라더니, 그 모습이 정말 비슷했다. 차가 산을 넘어 해안가로 쭉 내려가자, 해안가로부터 시작해 멀리 내다보이는 산의 능선 부분까지 가득 차 있는 알록달록한 집들이 보였다. 우리는 빨주노초파남보 각양각색의 집들을 지나 케이티의 집에 도착했다. 색채 가득한 집을 상상했는데, 잘 가꾸어진 작은 정원과 수영장이 딸린 흰색 아파트였다. 우리가 도착한 것을 본 리셉션 직원이자 관리소장인 폴리오가 나왔다. 케이티가 그에게 밝게 인사했다. 우리를 가리키며 그와 이야기하는 것을 보니, 우리가 누군지 그에게 소개하는 중인 것 같았다. 폴리오는 검은색 무거운 철문을 한 손으로 붙잡고 한 손으로 로비를 향해 손바닥을 뻗어 가리키며 우리에게 인사를 건넸다. 그는 남색 점퍼를 입고, 키가 크고 배가 좀 나온 중년의 사내였는데, 푸근한 미소와 함께 우리에게 말했다.

"비엔베니다스 (¡Bienvenidas, 어서 오세요)!"

그가 우리의 짐을 엘리베이터까지 옮겨주었다. "그라시아스 (Gracias)!" 얼마 알지 못하는 스페인어 표현 중 하나였지만, 용기를 내어 그에게 인사를 건넸다. 현관문을 열자마자 케이티의 엄마 딜마가 식탁에 커피잔을 놓으려다 얼른 내려놓고선 두 팔을 벌려 우리를 맞이했다.

"안녕하쎄요오- 어서 오세요. 케이티 엄마 딜마입니다."

딜마는 천천히, 그렇지만 또박또박 한국어로 우리에게 말했다. 그녀는 우리의 첫 대면 만남에 이 인사를 건네기 위해 딸에게 한국어 표현을 물었을 것이다. 그리고 몇 번이고 되뇌며 연습했을 것이다. 그녀의 노력이 큰 감동으로 다가왔다. 그녀는 케이티가 그러했듯 우리를 꼭 안아주며 몇 번이고 따뜻한 눈빛과 포옹으로 인사했다. "딜마, 만나서 반가워요." 엄마는 딜마의 열정적인 환대에 눈웃음을 지으며 하하하 소리를 내어 웃었다.

케이티의 집은 멀리 바다가 내다보이는 발파라이소 언덕에 있었다. 베란다를 내다보자 주황색, 노란색, 분홍색 벽의 집들과 사람 키보다 큰 선인장들, 건물에 딸린 수영장이 보였다. 벽 너머에 바닥에 기찻길 그림이 그려져 있는 가정집이 보였는데, 케이티는 그곳이 아이들이 다니는 유치원이며 지금은 이른 시간이라 아이들이 없지만 곧 등원할 것이라고 설명해 주었다. "케이티!" 한참 베란다 밖을 구경하고 있는데 딜마가 케이티를 부르며 식탁으로 손짓했다. 청록색 보가 깔린 식탁에 놓인 치킨 수프에서 김이 모락모락 올라오고 있었다. 그녀가 우리를 위해 어제부터 준비한 보양식이라고 했다. 잘게 잘린 파스타 면이 들어간 수프는 우리나라 삼계탕과 비슷했다. 엄마와 나는 한 그릇을 뚝딱 비워냈다. 따스한 기운이 온몸에 느껴지면서 노곤노곤해졌다. 딜마가 우리를 위해 준비한 것은 음식뿐만이 아니었다. 짐가방을 풀라며 안내해 준 침실 침대에는 청록색 이불과 하얀색 베개가 가지런히 놓여 있었고, 둥글게 말아 예쁘게 개어 놓은 하얀색 수건 위에는 붉은색 조화가 꽂혀 있었다. 침대 벽에는 청록색 보드가 놓여있었는데, 흰색 알파벳 자석으로 붙인 글씨가 눈에 들어왔다. "좋은 오후 보내세요. 딜마가. (I hope you have a good afternoon. Dilma)" 우리는 그녀의 섬세하고 따뜻한 마음씨에 연이어 말했다. "너무 고맙네, 진짜" "그러니까 말이다. 이렇게나 준비를 해줘서 어쩐다니, 고마워서." 첫날부터 넘치게 받은 고마움을 어떻게 되돌려줄 수 있을지 생각하는 엄마였다.

우리는 칠레 다른 지역으로 다녀오는 이틀 정도를 빼고는 많은 시간을 케이티의 집에서 보냈다. 그녀의 집을 거점으로 하루는 발파라이소의 벽화마을로, 하루는 지하철을 타고 구도시 리마체로, 하루는 도심 비냐 델 마르로, 또 하루는 와이너리가 있는 콘 차이 도르로 여행을 떠났다가 돌아오는 완벽한 잘 곳이 보장된 안정적인 여행이었다. 혼자 갔다면 칠레 남단 국립공원 토레스 델 파이네 3박 4일 트레킹 코스 같은 것을 시도했겠지만, 이번 여행은 엄마와 함께하는 여행이었고, 체력을 보충할 수 있는 시간적 여유를 많이 갖는 것이 중요했다.

케이티의 동네는 우리가 도착한 일요일에는 길가에 차도, 사람도 찾기 힘든 고요함이 깃든 곳이었지만, 주중에는 달랐다. 높은 언덕 위부터 아래까지 거침없이 엑셀을 밟아 내려가는 택시들은 부산의 거침없는 총알택시를 떠올리게 했다. 아파트에서 종종 사람들의 웃음소리와 노랫소리가 크게 들렸다. 춤추고 노래 부르는 파티 문화가 흔한 곳이라서 음악을 크게 틀고 파티를 하는 것으로 생기는 층간 소음 정도는 문제가 되지 않는다고 했다. 대학교가 근처에 있어 수업이 있는 시간에는 시끌벅적했다. 간단한 식재료는 화, 목요일에 서는 동네 시장에서 구입했다. 채소와 과일을 한가득 쌓아 놓은 시장의 상인들은 차에서 내린 물건을 정리하고 손님을 응대했다. 사람들과 먹거리, 동네의 진짜 풍경을 즐기기에 시장은 아주 적합한 장소였다. 가판대 근처에는 항상 강아지들이 바닥에 몸을 누이고 자고 있었다. 상인들이 판매하고 남은 음식들을 동네 떠돌이 개들의 먹이로 챙겨 주기 때문에 곁에 가까이 있는 것이라고 했다. 챙김을 잘 받아서인지 털도 빛이 나고 통통했다. 삐쩍 마른 브라질 개들하고는 다르다며, 케이티가 칠레 사람들은 동물들에게 항상 친절하다는 설명을 덧붙여줬다.

엄마는 예상했던 것처럼 역시나 시장 구경을 좋아했다. 시장에는 반질반질 윤기가 나는 싱싱한 칠레산 체리도 한가득 쌓여 있었고, 한국에서는 구하기 어려워 맛보지 못했던 납작 복숭아도 먹고 싶은 만큼 쉽게 살 수 있었다. 시장 한 편에 Arauco라는 베이커리 겸 식료품점이 있었는데, 판바티도(Pan Batido)라는 빵을 매일 구워내는 곳이었다. 바게트처럼 생겼는데 바게트보다는 부드러운 식감으로, 아무것도 바르지 않고 먹어도 담백하게 맛있었고, 반으로 갈라 버터를 발라 구우면 더 맛있었다. 잼이나 크림치즈를 바르지 않은 맨 빵을 먹는 걸 좋아하는 엄마는 한국에 돌아온 후에도 몇 번이나 그 빵이 생각난다고 말했다. 엄마의 시장 사랑 덕에 머무는 동안 장에 들르면 항상 예산을 넘어서는 식료품 쇼핑을 하고 돌아오곤 했다.

케이티는 주방에서 판바티도에 버터를 바를 때도, 아침에 일어나서 침대의 침구를 정리할 때도, 식탁에 앉아 밥을 먹을 때도 항상 블루투스 스피커를 책장 귀퉁이에 올려놓고 노래를 틀곤 했다. 그리고 춤을 추었다. 삼바를 추듯 두 손을 머리 위로 들고 발을 오른쪽 왼쪽으로 리듬감 있게 움직여가며 엉덩이를 흔들었다. 그러면 딜마도 딸의 춤사위에 응답하듯 한 손에 파프리카, 한 손에 양파를 들고 신나게 몸을 흔들었다. 오후 4시쯤이면 베란다에서 내려다보이는 유치원 마당에 나온 아이들이 선생님과 함께 영화 마다가스카르 OST 'I like to move it'에 맞춰 체조를 했다. 앰프에서 나오는 음악 소리가 동네 전체를 울리듯 크게 들렸는데, 음악 소리가 들리면 딜마는 하던 일을 내려놓고 베란다로 달려가 음악에 맞춰 춤을 추곤 했다.

"한번 해봐. 즐겁게 웃으면서 몸을 흔들면 그날 힘들었던 것들이 다 사라져, 마법처럼"

딜마가 말하고 케이티가 영어로 내게 설명해 주었다. 차마 따라 추지는 못했지만, 우리의 시선을 즐기며 더 우스꽝스럽게 춤을 추는 두 모녀를 보며, 엄마와 나는 광대가 찡하게 아플 정도로 박장대소를 했다.

그렇게 다른 모습의 두 모녀였기에 케이티는 우리 엄마 걱정을 많이 했다. 그녀는 입버릇처럼 엄마의 표정을 살피며 묻곤 했다. "어머니, 괜찮아?" 나에게는 평소 엄마가 짓는 표정 그대로였지만, 말없이 조용히 무언가를 응시하고 있는 엄마가 기분이 좋지 않거나 피곤해서 그런 것인지 걱정되는 마음에 재차 물어보는 것이었다. 엄마에게 케이티가 계속 묻는 이유를 설명해 주니 엄마는 겸연쩍어하는 표정과 함께 말했다. "화가 나거나 힘들어서 그런 건 아닌데. 딜마와 너무 다른 모습이라 케이티가 놀랐나 보다. 한국 엄마들이 다 그런 건 아닌데, 너무 무뚝뚝하게 보였나? 그런 거 아니라고 네가 설명 좀 해봐." 오해는 풀렸지만, 케이티는 첫날부터 우리가 귀국행 비행기에 오르는 마지막 날까지 엄마를 위해 기꺼이 개그우먼이 되어주었다. 한국어 단어를 잘못 기억해 쓰레기를 쓰께리 라고 말하곤 했지만, 그 한 단어만으로도 엄마의 웃음보를 터지게 했다. 엄마는 배를 부여잡고 웃으며 케이티에게 말하곤 했다. "나중에 한국 온다고 하면 인간극장에 연락해야겠어. 출연할 사람 있다고. 케이티 찍으라고."

엄마는 우리를 웃음 짓게 만드는 딜마와 케이티의 마음에 보답하고 싶어 했다. 한국에서 칠레로 떠나기 전에 케이티를 위해 준비해 간 것이 있었다. 김밥용 노란색 통무. 혹시 터질까봐 몇 겹의 옷 안에 두껍게 말아 꽁꽁 싸서 가져갔다. 나머지 재료는 현지에서 구해볼 계획이었다. 거기에 케이티가 고기에 설탕 소스를 바른 음식을 먹고 싶다고 해서 그게 어떤 음식인지 스무고개 하듯 물었는데, 알고 보니 탕수육을 말하는 것이었다. 그렇게 그날 저녁 메뉴는 김밥과 탕수육으로 정해졌다. 엄마는 식재료에 있어서만큼은 용기 있었다. 이마트처럼 없는 게 없는 비냐 델 마르에 있는 큰 마트로 갔다. 그러나 엄마가 원하는 식재료를 찾는 것은 생각보다 쉽지 않았다. 마트를 돌고 돌아 김밥을 말 수 있는 찰진 쌀은 결국 찾지 못했지만, 그래도 치킨 수프를 만든 찜기가 있어 얼추 비슷한 식감을 만들어볼 수 있었다. 탕수육을 하기에 적당한 고기도 찾지 못했지만, 얇게 저며진 고기를 돌돌 말아 튀김 옷을 입혀 튀겨냈다.

그날 딜마의 청록색 식탁에는 엄마가 손수 만든 김밥과 탕수육이 놓였다. 딜마가 만든 매콤한 페브레 살사 소스와 칠레 와인과 함께 식기를 갖춰 놓으니 어느 유명 퓨전 레스토랑 부럽지 않은 그럴싸한 한 상이 되었다. 한국 엄마 순녀와 브라질 엄마 딜마가 만든 맛있는 콜라보였다. 케이티는 엄마에게 엄지손가락을 내밀며 양쪽 눈썹을 번갈아 움직이는 우스꽝스러운 표정으로 애교스럽게 말했다. "어머니, 정말 맛있어! 어머니 최고!" 딜마는 엄마가 찜기로 밥을 짓는 것을 보며, 나중에 밥을 지어 우리가 선물한 신라면과 함께 먹어보겠다고 했다. 엄마는 딜마에게 소스 레시피를 알려주면 한국에서 그 소스로 비빔국수를 만들어 먹어보겠다고 했다. 딜마가 "I love picante (매운)!"라고 하자 엄마가 말했다. "나도 피칸떼 좋아해요!" 매운 것을 사랑하는 딜마의 입맛은 한국인인 엄마의 그것과 똑 닮아 있었다.

딜마는 항상 유쾌한 사람이었다. 그녀가 유쾌함 이면의 모습을 보여준 것은 푸에르토몬트로 가는 전날 아침이었다. 벌써 나와서 음악에 맞춰 몸을 흔들고 있을 딜마였지만, 그날따라 침대에만 누워있는 그녀였다. 케이티는 딜마가 침대에서 몰래 숨어 눈물을 훔치는 중이라고 속삭였다. 그녀가 자신의 둘째 딸과 거의 반년 만에 만나는 것이었기 때문에, 우리는 그녀를 둘째 딸이 있는 푸에르토몬트로 데려다주기로 했다. 감사의 마음을 담아 딜마와 케이티의 푸에르토몬트 여행 비용을 부담하기로 한 것이다. 이 말을 전해 들은 딜마는 고마움에 울음이 터져 차마 침실에서 나오지 못하는 것이라고 했다.

케이티를 통해 딜마가 브라질에서 칠레로의 이민 후 홀로 세 남매를 기르기 위해 얼마나 고군분투하는 삶을 살았는지 이전에 들어 알고 있었다. 딜마에게도 그런 힘든 세월이 있었다는 것을 엄마에게 이야기해 준 적이 있었다. 엄마는 딜마가 있는 침실로 들어가 그녀의 곁에 앉았다. 따뜻한 손짓과 애잔한 마음, 따뜻한 미소와 목소리를 담아 딜마에게 말했다. "괜찮아요. 울지 마요. 우리 열심히 살았잖아요. 딜마는 좋은 엄마예요." 딜마는 침대에 앉아 퉁퉁 부은 눈으로 엄마에게 한쪽 어깨를 기댄 채로 연신 고개를 끄덕였다. 언어가 통하지 않아도 다 알 수 있는 그 무엇들이었다.

비록 언어는 통하지 않았지만, 엄마이자 중년의 여성으로서 삶에서 느끼는 감정들도 닮아 있는 것 같았다. 예상하지는 못했지만, 엄마와 딜마의 감정의 선이 맞닿은 일이 있었다. 케이티의 여동생이 살고 있는 푸에르토몬트는 발파라이소에서 열다섯 시간을 고속버스로 이동해야 하는 칠레 중부에 있는 도시다. 케이티가 한국에 여행 왔을 때, 서울에서 정읍이 이동에 세 시간이 걸리는, 내 생각엔 먼 지방이었기 때문에 걱정스럽게 말했었다. "서울에서 버스로 세 시간이 걸려. 그래도 괜찮아?" 나의 질문에 케이티는 "걱정 하지마. 3시간이면 정말 가까운데?"라고 답했었다. 푸에르토몬트로 가는 여정을 겪으며 케이티의 반응이 이해되었다. 서울에서 정읍까지는 여기에 비하면 정말 너무 가까운 거리였네. 오랜 시간을 달려야 하기에 커다란 2층 고속버스는 저녁 느지막이 출발했다. 서울에서 정읍까지 이동하는 것의 다섯 배가 되는 거리를 밤새 달렸다. 휴게소가 없어서인지 시간 내 도착하기 위한 것 때문인지 모르겠지만 경유지에서 사람들을 내려주는 것 빼고는 잠시의 쉬는 시간도 없었다. 다행인 것은 비좁았지만 비행기처럼 1층에 화장실이 있었다는 것이다. 좌석 위에 짐칸이 있었는데, 도둑맞는 경우가 비일비재했기에 케이티는 우리의 짐을 지키느라 촉을 세우고 안 그래도 불편한 의자에서 새우잠을 잤다. 녹록지 않은, 엄청난 인내가 필요한 시간이었다.

자신의 둘째 딸을 만날 생각에 딜마는 전날 저녁 늦게까지 그동안 딸에게 주려고 사뒀던 물건들을 바리바리 쌌다. 자취하는 딸의 집에 오랜만에 방문할 준비를 하는 한국 엄마들의 설레는 모습과 같았다. 케이티는 여동생을 위해 딜마가 콧노래를 부르며 이것저것 준비하는 모습을 보고 입술을 삐쭉 내밀며 나에게 말했다. "엄마는 삼 남매를 다 사랑한다고 항상 말하는데, 제일 사랑하는 건 나도 아니고, 오빠 알룬도 아니고, 올리베이라야. 자기랑 가장 닮았다고 생각하거든." 나도 여동생이 있어 익히 알고 있지만, 엄마의 사랑에 대해 딸들이 서로에게 갖는 시기 질투는 어쩔 수 없는 당연한 것이다. 우리는 캐리어 세개와 배낭 네 개와 함께 푸에르토몬트에 도착했다. 버스가 승강장에 들어서자, 노란색 후드티에 멜빵바지를 입은 딜마의 둘째 딸 올리베이라가 우리를 보며 배시시 웃고 있었다. 딜마는 허겁지겁 가방을 챙겨 버스 2층에서 1층으로 한달음에 내려갔다. 그러고는 그녀의 둘째 딸을 세차게 안고 눈을 마주치며 얼굴을 쓰다듬고 다시 꼭 안아주었다. 그녀에게 이 여행이 얼마나 기다려지는 여행이었는지를 알 수 있었다.

우버를 타기 위해 버스터미널 밖으로 나가자, 비가 부슬부슬 내리고 있었다. 푸에르토몬트는 위와 아래로 기다란 모양의 국가인 칠레의 중심부이기 때문에 칠레 이곳저곳으로 이동하기 위해 많이들 거쳐 가는 곳이다. 그래서인지 배낭여행을 온 외국인들이 많이 보였다. 그들을 택시에 태우려는 기사들과 차를 기다리는 사람들, 먹을거리를 파는 노점상이 뒤섞여 건물 앞은 인산인해였다. 해외에서 온 외국인이 많지만, 동양인은 쉽게 볼 수 없어서인지, 근처에 서있는 많은 사람의 눈이 우리를 향해 있었다. 눈이 마주친 여자아이에게 "올라(¡Hola)"라고 인사하자 눈은 우리를 응시한 채로 씩 웃으며 아빠의 손 뒤로 숨었다. 한참이 걸려 우리를 태우러 온 우버는 앞 유리에 금이 가 있는 꽤 연식이 있어 보이는 SUV였다. 우리를 숙소에 내려주었던 여자 기사님은 우리가 한국어로 대화하는 것을 들었는지, 캐리어 내리는 것을 도와주며 나에게 말했다. "샤이니 민호" 예상치 못한 말에 놀라 내가 눈을 크게 뜨고 그녀의 말을 반복하니 자신은 샤이니 민호 팬이라며, 나중에 한국에 꼭 가고 싶다고 했다. 칠레에서, 그것도 칠레 수도에서 열다섯시간을 달려온 푸에르토몬트에서 한국 아티스트의 팬을 만나다니. 옆에서 듣던 올리베이라는 자신도 한국 드라마와 음악을 좋아한다고 덧붙였다.

우리는 숙소에 짐을 두고 올리베이라와 그녀의 약혼자가 준비한 저녁을 먹으러 그녀의 집으로 갔다. 햇빛이 잘 들지 않는 나무로 지어진 작은 복층 자취방이었는데, 딜마는 집에서부터 준비해 온 물건들을 하나씩 꺼내어 그녀에게 전달했다. 딜마의 시선은 계속해서 그토록 보고 싶었던 딸에게 머물러 있었다. 예뻐 죽겠다는 표정이었다. 그런 엄마의 마음을 다 헤아리기에는 아직 생각의 나이가 어린 둘째 딸은 다음 날 직장 점심시간에 같이 식사하고 싶어 하는 엄마를 두고 친구를 만나러 갔다. 한껏 들떠 있던 딜마는 혼자 돌아와 축 처진 어깨로 고속버스 대합실에 앉아 있었다. 처음 보는 딜마의 우울한 표정이었다. 자초지종을 들은 엄마는 그녀의 어깨를 감싸며 토닥였다. "배고픈데 우리 밥 먹으러 가요 딜마, 뭐 먹을까요?"라고 말하며. 아마도 짐작건대, 엄마는 똑같이 두 딸을 키우며 종종 느꼈던 딸들에 대한 서운함이 무엇인지 공감할 수 있었을 것이다.

딜마는 푸에르토몬트 여행 중에 여러 번 엄마와 나에게 자신을 이곳에 데려와 줘서 정말 고맙다고 말했다. 여독에 취해 다들 잠든 저녁 시간, 딜마가 거실 TV로 나지막하게 틀어 놓은 스페인어 노래를 듣고 있던 나에게 말을 걸었다. 한 손에는 와이너리에 갔을 때 샀던 와인, 한 손에는 작은 그릇에 담은 초록색 올리브를 들고서. "하경, 와인?" 그녀는 나와 대화하고 싶은 것 같았다. 딜마는 스페인어를 할 수 있지만 나는 할 수 없고, 나는 한국어를 할 수 있지만, 딜마는 한국어를 할 수 없고. 그간 그녀와 대화할 때는 항상 케이티가 영어로 실시간 통역사 역할을 해주었기 때문에, 케이티 없이 단둘이 이야기를 나눌 수 있을지 잠깐 걱정이 되었다. 이내 우리는 나란히 핸드폰을 꺼내어 번역 앱을 켜고 마주 앉았다. 그녀는 부드러운 미소를 짓더니 와인을 한 모금 마시고 식탁에 내려놓았다. 그리고 핸드폰에 무언가 적기 시작했다. 그리고 자신의 핸드폰을 나에게 내밀었다. 스페인어에서 자동 번역된 한국어가 눈에 들어왔는데, 그녀의 첫 질문은 나를 당황하게 만들었다.

"진정한 사랑을 해본 적 있나요?"

내가 그녀가 던진 이 질문에 당황했던 데는 몇 가지 이유가 있었다. 먼저 나는 엄마와 이런 주제의 대화를 해본 적이 없었다. 궁금하지 않거나 관심이 없었다기보다는 그저 이런 주제로 엄마와 대화를 나눌 수 있다는 생각을 해본 적이 없다고 해야 맞을 것이다. 그녀는 내 반응을 보더니 씽긋 웃으며 다시 무언가를 적어 보여주었다.

"내 인생에서는 사랑이 가장 중요한 가치예요. 나이가 들어도 사랑을 대하는 마음은 한결같이 스물여섯 살 소녀이죠. 오늘 우리가 봤던 꽃처럼"

그날 우리는 눈 덮인 화산이 보이는 페트로우에 폭포에 갔었다. 근처에서 말을 타고 지나가는 사람들을 구경하고 있는데 딜마가 길가에 있는 꽃을 내 귀 옆에 꽂아주고 함께 사진을 찍자고 했었다. 그녀는 이어서 말했다. "올리베이라에게 좋은 짝이 생겨서 저는 행복해요. 가끔 서운할 때도 있었고, 앞으로도 그럴지 모르겠지만, 나는 그녀의 앞날을 축복할 거예요."

하고 싶은 말을 문자로 적어야 하기 때문에 나는 그녀가 메시지를 적는 동안 생각할 수 있는 짬이 있었다. 나는 진정한 사랑을 했다고 할 수 있을까? 사랑이 뭘까? 딜마가 인생에서 가장 큰 가치로 생각하는 것이 사랑이라면, 나에게는 무엇일까? 내가 정곡을 찔린 것 같아 뜨끔했던 또 다른 이유는, 내가 그런 고민을 멈춘 상태이기 때문이기도 했다. 일기를 쓰고, 내 마음을 들여다보고, 다독이고, 말하자면 그런 성찰의 시간이 나에게 한동안 없었다는 것을 스스로 깨달았기 때문이었다. 쳇바퀴 돌 듯 반복되는 직장 생활에 지치고 지겨워져 정작 중요한 것을 잊고 살았다는 생각이 들었다. 칠레로의 여행을 결심한 데에는 다시금 나를 찾고 싶다는 마음도 있었음을 그녀와의 대화를 통해 다시 확인하게 되었다. 만약 엄마라면 딜마의 질문에 어떤 대답을 했을까?

딜마는 마지막 와인 한 모금을 넘기고 나에게 귀에 꽃을 꽂고 함께 찍었던 사진을 보여주며 말했다. "꽃나무가 꽃을 활짝 피우듯, 나는 케이티와 하경이 진정한 사랑을 찾아 행복하기를 바라고 기도할 거예요." 나는 그녀와의 대화 이후 한동안 잠에 들지 못하고 뒤척였다. 고민이 되어서라기보다는 심장이 콩닥콩닥 뛰는 기대감으로 잠에 들지 못했다. 다시 시작하고 싶다는 마음에 불꽃이 튀니 여행을 마치고 한국으로 돌아가 앞으로 하고 싶은 일들이 여럿 떠올랐다.

칠레에서 가보고 싶은 곳, 그리고 가볼 수 있는 곳은 수없이 많았다. 그런데 한 번 가보고 너무 좋아서 두 번째로 찾아간 곳이 있었다. 케이티의 집에서 버스를 타고 비냐 델 마르 도심을 돌아 30분 정도 바닷가를 따라가다 보면 콘콘(Concon)이라는 지역에 두나스(Dunes)라는 커다란 사구가 있었다. 관광객들에게 유명한 곳은 아니었지만, 케이티가 가끔 그곳 사진을 보여주어 익히 알고 있었다. 케이티의 집에서 날씨가 맑은 날 밖을 내다보면 두나스는 해변 저 끝에서 황금처럼 반짝였다. 처음 방문했을 때 구름이 많이 껴서 멋진 뷰를 보지 못해 아쉬웠는데, 다른 지역을 여행하고 온 날이라 조금 피곤하긴 했지만, 지나칠 수 없는 날씨였다. 그 기회를 놓칠 수 없어 우리는 늦은 오후 두나스로 피크닉을 가기로 했다.

중간에 도심의 스시 가게에 들러 아보카도 연어김밥을 샀다. 칠레에서는 보통 스시라고 불리는데, 날 생선이 올려진 일본식 스시 라기보다는 캘리포니아 롤에 가까웠다. 특이한 것은 아보카도를 넣은 누드김밥의 겉면을 바삭하게 튀겨서 간장에 찍어 먹는다는 것이었다. 이외에 크루아상과 프링글스, 환타와 석류 주스, 물을 담아 무거워진 피크닉 가방을 들고 두나스로 향했다. 버스 좌석의 머리 부분은 주황빛의 형광색 커버로 덮여 있었고, 끈으로 이어 묶은 창문에는 쨍한 진분홍색의 커튼이 쳐져 있었다. 커튼을 창가로 걷어내고 앞으로 탈 사람이 얼마나 남았는지를 확인했다. 정류장마다 사람들이 내리고 탈 때 현금으로 계산을 하고 종이 티켓을 받는 방식이라서인지 버스는 도통 빠르게 가지 않았다. 생각해 보면 뭐, 이 정도 기다릴 수 있는 건데. 무엇이든 빨리빨리 해내는 한국 문화가 마냥 다 좋은 점만 있는 것도 아닌데 말이다.

버스는 커다란 사구 한가운데 우리를 내려주었다. 펜스도, 입구도 없이, 우리는 버스정류장에서 반대쪽으로 건너 마주한 거대한 사구 위로 그저 올라가면 되었다. 끝이 없는 사막처럼 보이기도 했지만, 사구의 곳곳에는 선인장이 뿌리를 내리고 뻗어 있었고, 노란색, 분홍색 선인장꽃들이 오밀조밀 피어 있었다.

"이거 좀 찍어봐. 이 꽃도"

"찍어서 뭐 하려고? 나중에 볼 거야?"

"나중에 사진 저장했다가 열어 봐야지. 다 예쁘고 좋은 기억인데.

내 거 핸드폰에 저장할 수 있지?"

엄마는 꽃만 보이면 나에게 핸드폰 카메라로 찍어달라고 말했다. 우리 눈앞에 멋진 풍경이 펼쳐질 때도 마찬가지였다. 엄마가 이 여행을 오래 기억하고 싶을 만큼 즐거워하고 있다는 생각이 들어 뿌듯했다.

우리는 선인장이 없는 모래 언덕을 열심히 타고 올라가기 시작했다. 꽤 올라가기 쉽지 않은 비탈길이었다. 모래에 발이 푹푹 빠졌기 때문이다. 곧 우리 모두는 모래 위를 걷는 데 거추장스러운 신발을 벗어 손에 쥐고 걷기 시작했다. 케이티는 이날도 엄마의 웃음 버튼이었다. "어머니 힘내세요. 케이티가 있잖아요!"라며 한국 드라마에서 들은 '아빠 힘내세요' 동요를 개사해 부르며, 힘들면 자신의 등에 업히라는 제스처로 엄마를 박장대소하게 했다. 청록색 티셔츠와 운동화, 청바지, 푸른빛 계열의 가방으로 오늘도 한껏 패션 센스를 뽐낸 딜마는 가장 앞서가며 콧노래를 흥얼거렸다.

거대한 사구의 능선에 다다른 순간 우리는 황홀함에 휩싸였다. "우와!" 왼쪽으로는 우리나라의 서해안처럼 굽이져 있는 커다랗고 둥근 해안가가 보였고, 해안가부터 산꼭대기 쪽으로 발파라이소 각양각색의 집들이 뒤덮여 있었다. 뒤쪽으로는 산 아래 유럽 도시의 마을처럼 잘 정비된 고급 주택들이 보였다. 오른쪽 저 멀리로는 해안가 뷰에 막 뼈대를 올리고 있는 주상복합 단지가 있었다. 앞쪽으로는 동해의 바다처럼 맑고 깨끗하고 멀리 갈수록 더 깊이가 깊어지는 푸른빛의 바다가 펼쳐져 있었다. 사구의 능선이 꽤 높은 곳이기 때문에 마치 하늘에서 바다를 내려다보는 기분이었다. 딜마가 자기 옷과 손에 낀 푸른색 나비 반지를 가리키더니 손을 뻗어 에메랄드빛 바다를 가리켰다. "칼립소(Calypso), My favorite!" 아하, 색의 이름이구나. 그제야 알 수 있었다. 그녀의 식탁보, 침대의 이불, 이불 위에 놓여있던 보드, 그녀의 나비 반지. 모두 그녀가 사랑하는 색 칼립소였다. 해와 달 문양이 그려진 네모난 칼립소 색 스카프도 준비해 온 그녀는 사구의 능선 부분에 앉아 스카프를 바람에 휘날리더니 나에게 사진을 찍어달라고 했다. 칼립소처럼 깨끗하고 또한 따스한 푸른색의 그녀가 카메라에 담겼다.

우리는 피크닉 가방을 열어 돗자리를 펴고 준비해 온 튀긴 김밥을 맛있게 먹었다. 그리고 바람 소리만 잔잔하게 들려오는 고요한 위치에서 모래에 털썩 앉았다. 케이티와 내가 가장 좋아하는 성시경의 너의 모든 순간을 틀어 놓고 한동안 멍하니 바다를 바라보았다. 어떤 시름이라도 뿌리를 내릴 수 없는, 잊을 수밖에 없는 순간이었다. 칼립소의 바다색이 내 마음에 가득 차오르는 것 같았다. 사구의 능선을 따라 걸으며, 딜마와 엄마는 꽃이 보일 때마다 발걸음을 멈추고 사진을 찍었다. 서로 찍은 사진을 보여주면서 하하 웃는 모습이 꼭 중고등학생 소녀들 같았다. 우리는 줄지어 사구 아래로 뛰어 내려갔다. 위에서 뛰어 내려가는 것을 지켜보는 사람은 그런 사람대로, 밑에 내려가 다음 사람이 내려오길 바라보는 사람은 또 그 사람대로, 우리는 어린아이들이 세상 걱정 없이 마냥 깔깔대며 뛰놀 듯, 땀을 뻘뻘 흘려가며 모래언덕에서 뒹굴었다. 내려오자마자 마트로 가서 사 먹은 과일 맛 아이스크림은 얼마나 달콤하고 시원하던지.

우리는 칠레에서의 마지막 시간을 보내기 위해 산티아고로 향했다. 산티아고는 칠레의 수도답게 교통체증이 심했고, 매캐한 공기는 서울의 거리를 떠올리게 했다. 한국으로 돌아가는 마지막 날이 다가오는 것이 실감 났다. 칠레에서의 마지막 날은 엄마의 생일을 하루 앞둔 날이었다. 시차가 있으니, 비행기를 타고 한국으로 돌아가는 동안 엄마의 생일은 이미 지나갔을 터였다. 딜마와 케이티는 엄마를 위해 깜짝 생일파티를 준비해 주었다. 촉촉한 치즈 위에 새콤달콤한 딸기잼이 올라가 있는 케이크가 엄마 앞에 놓였다. 우리는 영어로 한번, 스페인어로 한 번, 한국어로 한 번, 세 번의 생일 축하 노래를 불렀다. 엄마는 한껏 상기된 얼굴로 반달 웃음을 지으며 말했다.

"고마워요. 고마워요. 내가 이런 축하를 다 받아보고. 인생 통 들어 가장 기쁜 날이에요."

브라질에서는 가장 사랑하는 사람에게 생일 케이크의 첫 번째 조각을 건넨다고 한다. 엄마는 케이크를 잘라 첫 조각을 딜마에게 건넸다. 말은 통하지 않지만, 미소와 손짓으로 전하는 감사의 표현이었다. 딜마는 자신이 직접 만든 크리스마스 오브제를 엄마에게 선물했고, 케이티는 스페인어로 쓰고 한국어로 번역한 편지를 엄마에게 주었다. 생일 파티가 끝난 후 엄마는 침실에 조용히 누워있더니 나에게 메시지 하나를 보냈다. 딜마에게 전달해 주고 싶으니, 케이티가 읽을 수 있게 영어로 번역해달라는 말과 함께. 딜마와 케이티에게 전하는 말인 것과 동시에 엄마 스스로에게 하는 다짐 같아 보이기도 했다.

"밝고 환한 딜마 환대에 고맙습니다. 잘 키운 딸 케이티 사랑한다.

따뜻한 눈길, 익살스러운 표정 기억하며 힘내리다.

생일 축하 감사하고 다음에 꼭 다시 만나자.

신이시여 이 가족을 축복해주시옵소서 아멘"

우리는 일상으로 돌아왔다. 엄마와 2주간 떨어져 본 적이 없는 강아지들은 한껏 격하게 엄마의 귀국을 반겨주었다. 12시간의 시간 차 때문에 돌아온 후 2주간은 몸이 원래 시간에 적응하느라 애를 먹었다. 날이 맑은 12월의 어느 토요일, 창문을 활짝 열어놓고 구석구석 대청소를 했다. 깔끔해진 거실 식탁에 엄마는 다시 한지를 폈다. 천천히 준비해서 내년에 있을 전시회에 작품을 그려 내보기로 했다는 말과 함께, 실력을 좀 더 키워 괜찮은 그림을 그리게 되면 내 방에도 하나 걸어주겠다고 했다.

우리와의 헤어짐이 아쉬워 산티아고 공항에서 눈이 퉁퉁 붓도록 엉엉 울어버린 케이티는 종종 딜마와 영상통화를 걸어와 묻는다.

"어머니는? 잘 있어?"

"응, 우리 엄마 요즘 잘 있어. 잠깐 기다려, 바꿔줄게."

엄마는 케이티와 딜마에게 영상통화가 걸려 올 때마다 함박웃음을 지으며 전화를 받는다. 케이티에게는 더 예뻐졌다고 잘 지내고 있냐고 인사를 건네고, 딜마에게는 아픈 곳 없냐고 인사를 건넨다. 그리고 자신은 덕분에 아주 잘 지낸다며, 보고 싶다는 말로, 2년 뒤에 한국으로 꼭 놀러 오라는 말로 아쉬움을 달랜다.

자신이 아닌 것들에 온전히 힘을 쏟아부었던 지난 시간을 뒤로하고, 엄마는 자신에게 조금 더 솔직해지고 있다. 다른 사람들에게 내가 그리고 쓴 것들을 보여주기 위해서는 큰 용기가 필요하지 않은가. 아무도 가지 않던 길에 계속 사람들이 가다 보면 새로운 길이 나는 것처럼, 엄마의 마음에 좋은 길이 나고 있는 것 같다.

　"민화에 왜 국화가 많아?" 엄마가 그리는 꽃을 보며 물었다.

　"국화는 풍요로운 꽃이라고 하더라? 가을에 기온이 떨어지는 계절에 봉긋하게 피어오르잖아. 예전에 선조들이 방에다가 걸어 두고 종종 보면서 마음을 다진 거지. 꿋꿋하게 자신의 길을 지켜가고 싶어서."

　엄마가 내고 있는 새로운 꽃길도 끝까지 꿋꿋하게 잘 지켜지기를 바란다.

나다운 것

이음

이음

"나만 힘든 거 아니야. 버텨, 그래야 이기는 거야." 스스로를 돌보지 않았다. 나는 20대 청춘의 한가운데서 많이 힘들어했다. 그래서 하던 공부를 멈추고 홀로 여행을 떠났다. 그게 인생의 전환점이 될 거라곤 꿈에도 몰랐다. 나는 국내 이곳저곳을 유유자적 누볐다. 다양한 사람들을 만나 많은 것을 경험했고 또 배웠다. 그 과정에서 나는 새로운 꿈을 찾았고, 그 꿈에 한발짝 더 가까워지기 위해 책을 쓰게 됐다.

나는 조금 서툴지라도 나의 이야기를 동네방네 소문내고 싶은 열정 가득한 초보 작가다. 함께 여행 떠나볼래요?

instagram: @eun.s.eo_

blog: blog.naver.com/pink_princess__

나는 여행을 정말 좋아한다. 사랑하는 사람들과 멋진 곳에서 예쁜 추억을 만드는 것이 너무나도 좋았다. 어릴 적부터 부모님께서 여행과 캠핑을 좋아하셔서, 거의 매달 여행을 다녔다. 초등학교 때는 국내·해외여행을 가느라 부모 동행 학습을 거의 매년 썼던 것 같다. 특히 그 시절의 나는 금요일을 좋아했다. 학원을 마치고 나오면 부모님과 동생이 나를 기다리고 있었고, 그 길로 바로 캠핑용품이 가득한 차에 올라타, 2박3일 캠핑을 다녀왔기 때문이다. 그렇게 자연스럽게 여행에 대한 좋은 추억이 많이 쌓였고, 나는 부모님을 닮아 여행을 좋아하게 됐다.

이랬던 나의 여행에 대한 관점이 달라진 계기가 있다. 나는 고등학생 때 일본 자매학교로 유학을 짧게 다녀왔다. 한국 친구들과 숙소에서 합숙하는 것이 아닌, 일본인 친구의 가정집에서 현지 가족들과 머무는 방식이었다. 그래서 적응을 잘할 수 있을지에 대한 걱정이 많았다. 심지어 한국과 일본의 국가적 분위기가 좋지 않았던 시기여서 가족들의 걱정이 컸다. 하지만 타지에서의 나는 걱정했던 게 무색할 정도로 정말 잘 지냈다. 현지 가족들과는 영어로 소통이 불가능해서 의사소통이 원활하지 않았는데도 아는 일본어를 최대한 사용해서 소통하려 노력했다. 잠잘 시간을 훌쩍 넘길 시간까지 서로의 언어를 알려주고, 문화를 공유하고, 궁금했던 걸 묻고 답했다. 얼마나 즐거웠던지 졸리지도 않았다. 이번이 아니면 언제 내가 이런 경험을 할 수 있을까 싶어서 여러 활동에도 정말 열심히 참여했다. 그리고 그 활동을 통해 외국인 친구들을 많이 사귀었다. 점차 일본어가 귀에 들리게 되었고, 그들의 생활에 잘 녹아들어 있는 나 자신을 볼 때마다 너무 뿌듯했다. 하루하루 나의 새로운 면이 보이는 것이 너무나도 신기했다. 성인이 되어 처음으로 어른의 도움 없이 떠난 해외여행에서도 비슷한 느낌을 받았다. 이렇듯 나는 새로운 세상에 적응해 가는 나 자신을 보는 것이 좋았다. 좋은 것을 보며 쉬러 간 여행에서 매번 새로운 면을 발견하고 온 좋은 기억 덕분에 틈이 나면 여행을 가려는 것 같다.

"만약에 말야…. 너는 타임머신을 탈 기회가 주어진다면 과거로 갈래? 미래로 갈래?"

어느 시원한 가을날, 공부를 마치고 함께 산책하던 친구가 나에게 물었다. 나는 일말의 고민도 없이 답했다.

"나는 미래로 갈래."

나는 그때의 내가 행복하게 웃고 있는 모습만 확인하면 괜찮을 것 같았다. 두려움과 불안보다는 기대가 앞설 테니까.

청춘의 한가운데

　나는 22살의 평범한 학생이다. 20살의 내가 원했던 건 무엇이었을까? 돌이킬 수 없는 선택 한 번에 인생이 확확 바뀌는 걸 몸소 겪고 나니, 선택이 두려워졌다. 머리로는 성적표나 대학 간판이 나라는 사람을 나타내는 것이 아니라는 걸 알았지만, 괜히 사람에 등급표를 붙이는 것처럼 느껴져 힘들었다. 나는 너무 지친 것 같은데, 그럼에도 해야 할 일은 너무 많아서 이를 악물고 버텼다. 그러다가 결국 무너지고 말았다. 맛있는 음식을 먹어도 기쁘지 않았고, 듣고 싶은 노래가 없었다. 모든 것에 재미를 느끼지 못했다. 조금만 적막하면 뒤처졌다는 부정적인 생각이 나를 저 깊은 곳으로 끌고 내려갔다. 울고 싶어도 눈물이 나오지 않았고, 밤마다 불면증에 시달렸다. 해가 중천이어도 더 이상 잠이 오지 않을 때까지 최대한 잠들어 있으려 했다. 행복한 꿈을 꾼 날이면 더 힘들었다. 그 시절 나에게는 침대가 늪이었다. 출근길 버스같이 사람이 많고 밀폐된 장소에 있는 것이 힘들어서 도중에 내린 적도 있었다. 내가 고른 선택지들이 모르는 새에 나를 갉아먹고 있었다. 결국 행복해지고자 노력한 것들이 나를 힘들게 했다. 내가 원했던 건 대학생이라는 소속감 그뿐이었을까?

　내가 '나'를 몰랐다. 가장 친한 친구는 나 자신이어야 한다는데, 나는 아닌 것 같았다. 좋아하는 음식이 무엇인지, 좋아하는 향이나 음악, 영화 장르나 책은 어떤 건지. 나는 이 질문에 선뜻 명쾌한 답을 할 수 없었다. 조금만 시간을 들여 나에게 관심을 가졌더라면 진작에 알 수 있었을 텐데. 나는 하지 않았다.

　어릴 적 나는 착한 아이였다. 초등학교 6년 동안 학급 모범상을 탄, 그리고 학급 친구들을 잘 챙겨주었던 착한 아이. 또 장녀여서 그런지 주변 사람들을 챙기는 것이 더 자연스러웠던 것 같다. 나는 성인이 되어서도 주변 사람들을 잘 챙겨 항상 주위에 사람이 많았다. 사람이 가장 많았을 때는 귀갓길에 종종 현자타임이 오곤 했었다. '나를 위한 관계가 맞는 걸까?' 싶었다. 나는 웬만하면 주변 사람들에게 다 맞춰주었고 결국 다 맞추어 주다 보니 나 자신을 잃어가는 느낌이 들었다. 많고 많은 인간관계 속에 나를 방치했다. 이렇게까지 나를 뒷전으로 한 채 남을 챙겨서 남는 건 무엇일까? 이상했다. 순서가 한참이나 잘못됐다.

　마치 큰일이 날 것 같이 위태위태했다. 스스로를 돌보는 것이 우선이라고 생각한 나는 과감히 휴식이 필요하다는 판단을 내렸다. 도저히 앞에 놓인 수많은 일들을 쳐내면서까지 나를 찾을 자신이 없었다. 지금 쉬지 않으면 언젠가 또 고장이 날 테니까.

　나는 내가 가진 몇 없는 가면 중 진정으로 '나'일 수 있는 곳으로 혼자 떠나고 싶었다. 어느샌가 잃어버린 '나다움'을 찾고 싶었다.

홀로 떠날 용기

"아무도 모르게 카드 한 장만 들고 바다만 보고 오고 싶다…."

공부가 힘들 때마다 이따금씩 든 생각이다. 바다만 보아도 답답한 가슴이 뻥하고 뚫릴 것 같았다. 내륙에서 자란 나에게 바다는 의미가 컸다. 나는 바다에 해방감과 자유 그리고 특별함이라는 의미를 부여하고 있었다. 그래서 나는 기차로 금방 다녀올 수 있는 부산으로 떠나기로 했다. 아무도 모르게 다녀오고 싶었지만, 안전상의 이유로 가족에게는 말했다. "우리 큰딸!! 왜 혼자 가는 거야? 무슨 일 있나!" "그래도 혼자가는 것보다는 같이 가는 게 더 좋을 텐데… 이번 주 주말은 시간 어때?" 가족들이 보인 반응은 다양했다. 그도 그럴 것이 잘 지내는 줄 알았던 딸래미가 갑자기 혼자 바다를 보고 오겠다는데 어떻게 걱정을 안 할 수 있을까? 아무래도 혼자 여행을 가는 건 흔히 있는 일이 아니니 당연한 반응이었다. 나조차도 혼자 다녀오기로 마음을 먹기까지 시간이 걸렸으니…. 나는 부모님께 걱정을 끼치고 싶지 않았다. 그래서 약간의 거짓말을 섞어서 말했다. "별일은 없고 나는 지금 바다가 너무 보고 싶거든. 근데 친구들과 시간 맞추기가 어려워서 혼자 금방 다녀오려는 거야. 오늘 밤에 돌아온다! 걱정 마요~!" 그렇게 허락을 받았고, 나는 그 자리에서 바로 기차표를 끊었다.

간단한 짐만 챙겨 부산행 기차에 몸을 실었다. 가서 생각 정리를 하고 푹 쉬고 돌아올 생각이었다. 창밖을 구경하다 보니 금방 부산역에 도착했고 곧장 광안리로 향했다. 나는 일출보단 일몰을 더 좋아한다. 그래서 광안대교 너머 하늘이 주황빛, 분홍빛, 보랏빛으로 차례차례 변해가는 걸 볼 생각이었다.

버스에서 내려 바다를 향해 걷는데, 자꾸만 웃음이 새어 나왔다. 그렇게 바라던 순간이 현실이 되니 너무 기뻤다. 오랜만에 혼자서 실실 웃었다. 사람 구경, 물구경을 하며 여유롭게 바닷가를 거닐었다. 바닷바람이 적당히 불어서 시원했다. 눈 딱 감고 떠나면 이렇게나 좋은데 그땐 뭘 그리도 망설였던 걸까.

나는 해변에 혼자 앉아있었다. 그러다 문득 주위를 둘러보니, 대부분이 연인과 오거나 가족 또는 친구들과 함께하고 있었다. 나만 혼자였다. 갑자기 외로워졌고, 혹여 남들에게 이상하게 보이지는 않을까 신경 쓰이기 시작했다. 그 순간 너무 창피해서 얼른 집에 가고 싶었다. 하지만 사람들은 생각보다 주위에 관심이 없었다. 혹여 신경을 쓰더라도 정말 잠깐뿐이었다. 나조차도 오늘 타고 온 기차 옆자리 사람이 무슨 색 외투를 입고 있었는지 생각나지 않았다. 자세히 관찰하지 않는 이상 기억에도 오래 남지 않는 것 같다. 다들 오늘 내가 코트를 입고 왔던 것도 모르고 있을 걸?

멍하니 바다를 보고 있으니 내내 머릿속을 떠나지 않았던 고민이 전혀 떠오르지 않았다. 그토록 원했던 생각의 스위치를 꺼버린 것 같았다. 바다를 보며 생각을 정리하려 했는데, 바다는 오히려 복잡한 머릿속을 비워주었다. 아무 생각이 들지 않는 이 순간이 너무나 심적으로 안락했다. 그래서 오랜만에 음악을 들으며 멍을 때렸다. 처음에는 조금 외로웠는데 점점 괜찮아졌다. 생각보다 우리의 일상에는 혼자 있을 수 있는 시간이 별로 없다. 그래서 내가 나에게 선물한 혼자 있는 이 시간이 너무나 귀하게 느껴졌다. 사람은 비로소 혼자일 때 진정한 휴식을 취할 수 있는 것 같다. 부산바다에서의 휴식은 너무 달콤했다.

시간이 얼마나 흘렀을까? 해변에 가만히 앉아있는 나에게 누군가가 말을 걸어왔다. 나는 너무 놀라서 눈을 동그랗게 뜬 채로 낯선 이를 쳐다봤다. "혹시 실례가 안 된다면 사진 부탁드려도 될까요?" 주말을 맞아 단체로 여행을 온 듯한 남학생 무리 중 한 명이었다. "어… 물론이죠! 이 각도로 찍으면 될까요?" 나는 흔쾌히 핸드폰을 받아 들었고 열심히 사진을 찍어줬다. 사진을 확인한 친구가 흡족한 표정으로 감사인사를 해서 괜스레 뿌듯했다. 다시 노래를 들으려 이어폰을 끼려는데, 이번에는 뒤에서 누군가가 서툰 한국어로 말을 걸어왔다. 그들은 외국인들이었고 폴라로이드 카메라를 건네며 사진을 부탁했다. 잘 찍어줘서 고맙다며 답례로 나의 모습도 찍어주고 싶다고 했다. 그렇게 폴라로이드 사진을 선물 받게 됐다. 혼자 와서 사진을 남길 기대는 전혀 안 하고 있었는데, 뜻밖의 사진선물에 너무 기뻤다. 그들은 유학생이었다. 어디서 유학을 왔는지, 몇 살인지, 무얼 배우고 있는지에 대한 간단한 대화를 나누었다. 혼자서는 아무래도 조금 적적했는데, 덕분에 기분을 환기할 수 있어서 좋았다.

그들이 가고, 이내 내 목적이었던 생각과 고민을 정리해 보았다. 마구잡이로 섞여 짬뽕이 되어 있었던 모든 일들을 시간순으로 정리했다. 우선순위를 매겼고, 노트에 적으니 상황을 보다 객관적으로 볼 수 있게 됐다. 생각보다 큰일들이 아니었고, 복잡하게 생각할 필요 없이 지금 내가 통제할 수 있는 것에만 집중하면 되는 거였다. 그리고 어떤 내가 했던 걱정은 취업과 내 집 마련 같은 학생인 지금은 전혀 할 필요가 없었던 먼 미래에나 벌어질 일이기도 했다. 헛웃음이 터져 나왔다. 분명 거대해 보였는데, 마주하고 보니 생각보다 별것 아녔다. 나는 마음의 여유가 없었고, 그래서 과하게 걱정해서 불안했던 거라는 걸 깨달았다. 마음이 지치고 힘들 땐 시야도 같이 좁아지는 것 같다. 일상에서 벗어나니 이제서야 머리에 피가 도는 느낌이 들었다. 너무 용쓰고 지냈나 보다.

마음의 여유를 가지고 오래도록 눈에 담은 바다는 너무도 아름다웠다. 쨍한 햇살 아래 황금빛의 파도가 넘실거렸다. 해가 기울기 시작할 때쯤엔 수평선 근처 윤슬이 아주 아름답게 반짝였다. 바다만을 오래도록 눈에 담은 사람은 누구든지 사랑에 빠질 수밖에 없을 것 같다. 푸른 바다와 분홍빛 일몰은 지쳤던 나를 따스히 위로해 주었다. 낮바다가 밤바다가 되어가는 과정을 바라만 본 건 정말이지 처음이었다. 유독 힘든 날에 바다가 떠오르는 데엔 다 이유가 있었다. 머릿속이 복잡할 땐 가끔은 일상에서 벗어나 보는 것도 좋은 것 같다. 혼자 여행오면 종일 외로울 줄 알았는데, 마냥 그렇지만은 않았다. 무작정 찾아온 부산 여행에서 나는 타인의 시선에서 벗어나 혼자서도 잘 지내는 방법을 알게 된 듯했다. 그리고 다음에도 혼자 떠날 용기를 얻었다.

뻥제도브제, 결국엔 다 잘될 거야.

절친한 친구와 동네에서 만나 술 한잔했다. 다음날이면 기억나지 않을 시시콜콜한 이야기부터, 미래에 대한 걱정과 현재의 불안에 대한 이야기를 나누었다. 그러다 보니 자연스레 공통의 관심사였던 '여행' 이야기가 나왔다. 친구가 먼저 물었다.

"너는 이번에 따로 여행계획 있어?"

"아직은 없는데, 혼자 갈 거라 국내 여행지로 알아보는 중이야."

작년에 같이 오사카와 삿포로로 총 7박 8일 여행을 다녀온 우리는 시간적 여유가 된다면 무조건 여행을 가는 편이었다. 친구는 12월중순쯤 제주도로 여행을 갈 거라고 했다. 같이 가는 친구가 있는데, 그 친구는 일정 때문에 먼저 올라가고, 남은 며칠을 혼자 더 여행할 예정이라고 했다. 나도 모르게 "오? 제주도 좋은데? 비행기표 알아볼까?"라는 말이 튀어나왔다. 친구는 너무 좋다며 날짜를 알려줬다. 하지만 갑자기 친구가 혼자 있을 시간을 빼앗는 걸 까봐 걱정되기 시작했다. "혼자 쉬고 싶어서 더 머무는 거 아니야? 내가 가도 괜찮아?" 내가 물었다. 그랬더니 친구가 "너랑 있는 거면 혼자 있는 것만큼 편하니까, 괜찮아."라고 답했다. 그 말에 더는 망설일 필요가 없었다. 같이 쉬고 돌아오면 좋을 것 같았다.

　그 길로 집에 돌아오자마자 바로 비행기표와 숙소를 찾아봤다. 12월의 제주도행 티켓은 엄청 저렴했다. 부산에서 서울까지의 KTX값보다도 저렴한, 무려 3만원대였다. 숙소도 가성비 있게 1박에 2~3만원인 게스트하우스 위주로 찾아봤다. 나는 사람들과 함께하는 것을 좋아한다. 나를 잘 아는 사람들은 나를 '리트리버'라고 표현했다. 그래서 새로운 사람을 만나는 걸 좋아하는 나의 성향에 게스트하우스가 아주 잘 맞을 것 같았다. 나는 정해진 시간에 거실에 모여 도란도란 이야기를 나눌 수 있는 분위기의 숙소 위주로 찾아봤다. 아무래도 조용한 숙소면 혼자 여행 온 사람이 몇 명 정도는 더 있을 것 같았고, 그들과 진중한 이야기를 나눌 수 있을 것 같았다. 장롱면허 뚜벅이 학생이 서울 면적의 약 3배인 제주도를 야무지게 여행할 방법은 숙소를 옮겨 다니는 것뿐이었다. 그래서 바다와 가깝고 조용한 분위기의 숙소를 발견하면, 바로 지도에 표시했다. 그렇게 고른 세 곳의 숙소의 위치를 보니 우연치 않게 제주 동쪽을 모조리 도는 여행이 되었다. 오히려 좋았다:) 총 6박 7일로, 3일은 혼자 게스트하우스에 머물고 남은 3일을 친구와 보낸 후 같이 대구로 돌아가는 일정으로 짜보았다.

　숙소와 비행기편 이외의 계획은 없었다. 제주의 날씨는 워낙 변화무쌍해서 내가 공들여 짜 놓은 계획이 날씨 때문에 틀어지면 거기에서 오는 스트레스가 클 것 같았다. 그래서 게스트하우스에 가보고, 여행객들에게서 장소를 추천받아 정하고 싶었다. 정 주변에 가까운 관광명소가 없다면 책과 노트, 필통을 챙겨서 근처에서 쉴 생각이었다. 카페에서 책을 읽고 문득문득 떠오르는 사색을 기록하거나, 바닷가에 앉아 파도를 보며 멍 때리고 싶었다. 나는 자유롭게 나만의 시간을 즐기고 오고 싶었다.

다들 본인의 성장에 따른 부모님의 노화가 눈에 뚜렷이 보인 순간이 있지 않은가? 나이가 점점 차면서 주변 친구들의 부모님 병환 소식이 잦아졌다. 그래서 내가 직장인이 될 때쯤에는 부모님의 건강에 이상이 생길 수도 있겠다는 생각을 했다. 어쩌면 한번이 아닌 몇백 번…. 하지만 야속하게도 예상보다 훨씬 이르게 부모님의 건강에 적신호가 들어왔다. 조만간 제주도 여행을 갈 것 같다는 말씀을 드리자, 엄마가 울먹이며 말했다.

"○○야, 엄마 대장암이래….그래서 곧 수술해."

사실 최근 일주일간, 부쩍 부모님의 안색이 좋지 않음을 느꼈고, 자식에게 말 못 할 큰일이 있다는 것까지는 눈치채고 있었다. 그래서 부모님께 조금이라도 힘이 되었으면 해서, 최대한 내가 할 수 있는 일을 찾아봤다. 나는 어떤 큰일이 벌어졌든 우리 가족은 함께이고, 잘 이겨낼 테니까 너무 지나친 걱정은 말라는 내용의 편지를 썼다. 부모님께서는 나의 편지 덕분에 너무 큰 힘을 얻어서 답 편지를 쓰고 있다고 했다. 그리고 그동안 있었던 일과 정해진 수술 날짜를 알려주셨다.

수술은 제주도에서 돌아오는 날, 바로 다음 날이었다. 나는 머리가 멍했다. 엄마가 아픈데, 내가 여행을 다녀와도 되는 걸까 싶었다. 그래서 사실 여행을 취소할 생각도 했다. 그런데 부모님께서는 그런 나를 눈치 채셨는지 걱정하지 말고 여행을 다녀오라며, 용돈을 두둑이 쥐어 주셨다. 좋은 곳에 가서 예쁜 풍경 보면서 불안을 잠재우고 오라고 하셨다. 내가 너무 불안정해 보였나 보다. 그래서 더는 지체할 수 없었다. 지금이 아니면 안 될 것 같았다. 엄마의 수술 날까지 집에서 불안에 떨며 시간을 보내는 것보단 가서 환기하고 오는 게 부모님과 나에게 더 좋을 것 같았다.

그렇게 시간이 훌쩍 흘러 여행 당일 해가 밝았다. 현관에서 나갈 준비를 하는 나를 엄마가 꽉 안아줬다. 눈물이 나올 것 같았지만 씩씩하게 꾹 참았다. "잘 다녀올게!! 연락 자주 할게요~!" 혼자 가는 여행인 만큼 공항까지도 혼자 알아서 가고 싶었다. 지하철에서 버스로 갈아타야 했을 때, 나는 무거운 캐리어를 들고 힘겹게 계단을 올랐다. 나를 뒤따라오시던 할아버지께서 "아이고~ 야무지게도 짐 쌌네~"하시며 도와주셨다. 나는 너무 감사해서, 계단을 같이 오르는 내내 감사 인사를 드렸다. 할아버지께서는 조심히 안전하게 잘 다녀오라며 행운을 빌어준 뒤 쿨하게 떠나셨다. 너무 감사했다. 혼자 비행기를 타는 것도, 혼자 3박 4일을 보내는 것도 모두 처음이어서 조금은 긴장하고 있었는데, 할아버지의 따스한 한마디 덕분에 조금은 긴장이 풀렸다. 나는 비행기에서도 운이 좋았다. 내 자리는 창가 자리였고, 옆자리는 모두 비어 있었다. 그래서 아주 편하게 비행했다. 벌써부터 운이 좋으면 어떡하지! 제주도에서도 이런 좋은 일들이 가득할 것 같았다. 나는 부푼 설렘을 가득 안고서 제주도로 날아갔다.

사진을 찍는 것은 또 다른 나의 일상을 기록하는 방법이다. 그래서 평상시에도 폰으로 신기하게 생긴 구름이나 디저트, 예쁜 꽃, 만족스러운 식사를 한 가게 간판, 멋진 풍경 등을 담는 걸 좋아한다. 이번 여행에는 특별히 SONY DSLR카메라를 가져왔다. 아빠가 나의 어릴 적 모습을 담아준 좋은 추억이 가득한 오래된 카메라였다. 아빠가 물려주신 소중한 카메라로 제주에서의 추억을 담으면, 의미가 더 클 것 같았다.

비행기는 이륙한 지 얼마나 됐다고 벌써 착륙할 준비를 하고 있었다. 제주공항에 도착했고, 나는 캐리어를 찾자마자 숙소까지 짐을 옮겨주는 서비스를 신청했다. 숙소 체크인까지 6시간이나 남아서, 보고 싶었던 바다를 먼저 보고 숙소로 이동할 생각이었다. 배송기사님은 금방 배정되었고, 감사 인사와 함께 캐리어를 부탁드린 후 '도두봉 무지개 해안도로'로 가는 교통편을 찾아봤다. 버스를 타면 40분이나 걸렸고, 택시를 타면 10분이면 갈 수 있었다. 바다를 오래 보고 싶었던 나는 택시를 타고 이동했다. 저 멀리 창밖으로 바다가 보이기 시작했고, 택시기사님과 스몰토크를 하다 보니 금방 해안도로에 도착했다. 빨 주 노 초 파 남 보, 무지개색으로 칠해진 방호벽이 너무 귀여웠다. 방호벽을 따라 걷다가 이내 자리를 잡고 앉아 바다를 실컷 구경했다. 시원하게 부는 바닷바람이 상쾌했다. 나는 챙겨온 카메라를 주섬주섬 꺼냈다. 삼각대를 설치하고 본격적으로 사진 찍을 준비를 했다. 그렇게 시간이 가는 줄도 모르고 제주의 푸른 바다를 열심히 담았다. 결과물은 너무나도 마음에 들었다. 오래된 카메라는 사진에 예스러움이 묻어나 결과물을 한층 더 매력적으로 만들어주는 것 같다. 부산에서의 경험 덕분인지 남들의 시선에 개의치 않고 온전히 나만의 여행을 즐길 수 있었다.

해가 기울기 시작할 때쯤 나는 숙소로 출발했다. 버스를 타고 1시간 가량 이동하니 해가 어느덧 뉘엿뉘엿 저물고 있었다. 첫 번째 숙소는 제주의 조용한 해안가 시골 마을에 자리 잡고 있었다. 귤나무가 가득한 한적한 길을 걸어 들어가자, 익숙한 건물이 나타났다. 드디어 내가 이틀간 머물 숙소에 도착한거다. 스태프가 나를 밝은 미소로 반겨주었고, 나는 안내받은 방으로 들어가 짐을 풀고 쉬었다. 이 게스트하우스에는 신청자들에 한해서 숙소 옆에 붙어있는 식당에 모여, 함께 식사하는 시간이 있었다. 식사 시간 후기가 너무 좋았고, 저녁도 해결이 가능해서 나는 미리 신청을 해 두었다. 게스트하우스에 머무는 것도, 이런 식사 자리에 참석해 보는 것도, 모든 것이 처음이었던 나는 시간이 다가올수록 점점 긴장되기 시작했다. 하지만 막상 자리에 나가보니 다들 유쾌한 좋은 사람들이었고, 평소에는 접하기 어려운 다양한 직업군의 사람을 만날 수 있었다. 대부분이 직장인이었고, 내가 가장 어린 나이였다. 십년지기 친구들과 날짜를 맞추어 휴가 온 분들, 경찰, 개발자, 바리스타, 기상청 공무원, 유치원 선생님, 직업군인, 대학원생, 휴학한 대학생 등 정말 다양한 연령대와 사회적 지위의 사람들을 만날 수 있었다. 그리고 생각보다 제주에 혼자 쉬러 여행 온 사람들이 많아서 놀랐다. 그들과 평소 그 직업에 대해 궁금했던 걸 서로 질문하는 등의 소소한 대화를 나눴다. 모두들 친화력이 엄청났다. 역시 게스트하우스를 선택하길 잘했다 싶었다.

게스트하우스 사장님표 맛있는 음식과 좋은 음악, 적당한 음주에 분위기가 무르익었고, 이대로 잠들긴 아쉬워 친해진 몇몇 분들과 바닷가를 걸었다. 머리칼 사이로 차가운 바닷바람이 지나가고 귀에는 시원한 파도소리가 들렸다. 나는 직장인들을 만나게 된다면, 꼭 하고 싶었던 질문이 있었다. "20대 초반으로 돌아갈 수 있다면 뭘 해보고 싶어요?" 경제학과를 졸업해 일을 하다가, 29살에 바리스타 자격증을 따서, 유명 카페의 바리스타로 일하고 있는 분의 대답이 가장 인상 깊었다. 뒤쳐지기 싫어서 아무런 개성 없이 남들이 흔히 가는 길을 따라갔는데, 다시 돌아갈 수 있다면 남의 시선에서 벗어나 하고 싶은 걸 마음껏 해볼 거라고 했다. 그랬더라면 바리스타라는 직업을 조금 더 빨리 찾을 수 있었을 거고 조금 더 빨리 행복해졌을 거라고. 20대는 방황하는 게 당연한 시기이고 이때 방황하지 않으면 언제 방황해 보냐며, 나이의 특권을 마음껏 누리라고 하셨다. 더군다나 자기때는 이렇게 혼자 여행할 생각을 못했다며, 나를 보고 대단하다는 생각이 들었다고 했다. 다시 돌아간다면 혼자 여행 다니는 것도 좋을 것 같다는 생각이 들었다는 말도 덧붙였다. 정말 심지가 곧고 단단해 보였다. 무엇보다도 29살에 새로운 도전을 한 용기가 대단했다. 정말 20대는 나와 맞는 일을 찾으면 되는 거 같다. 나는 벌써부터 무언가를 새로 다시 시작하기에 다소 늦었다고 생각하고 있었는데, 덕분에 힘이 났다. 나도 여러 시행착오를 겪다 보면, 내가 좋아하는 일을 언젠가 찾게 되지 않을까?

산책을 마친 우리는 자러 들어가기가 아쉬워 숙소 앞에 서있었다. 한 명이 하늘을 유심히 보더니 말했다. "와…여긴 정말 별이 많네?" 그 말에 모두 밤하늘을 올려다보았다. 정말 우수수 떨어질 것 같이 많았다. 그렇게 다 같이 숙소 앞 평상에 누워 별을 구경했다. 별자리 앱을 켜서 하늘에 있는 별과 액정 속 별을 비교하며 별자리 이름을 찾아보기도 했다. 순수하게 자연을 만끽하는 모습이 마치 다 같이 동심으로 돌아간 듯했다. 새벽 공기가 쌀쌀해졌고 하나 둘 숙소로 들어가 잘 준비를 했다. 나도 생각보다 많이 피곤했는지 베개에 머리를 대자마자 잠들었다. 오랜만에 꿈도 꾸지 않고 아주 푹 잘 잤다.

다음 날 아침 조식 시간, 대부분이 무계획 여행자였고 이야기를 나누다 보니 자연스럽게 동행하게 됐다. "11시에 우도로 출발해서 땅콩 아이스크림 먹을 예정인데 같이 갈래요?" 해서 예정에도 없던 우도에 배를 타고 들어가, 전기자전거를 타고 한바퀴 돌았다. 점심으로 보말 칼국수를 먹었고 간식으로는 땅콩 아이스크림을 먹었다. 그 다음 날에도 어제 동행한 분들과 해장을 핑계 삼아 함께 갈치조림을 먹었고, 그 길로 성산일출봉을 같이 돌았다. 혼자였으면 절대 못 했을 경험들이었다. 순식간에 첫 번째 숙소에서의 2박3일이 지났고, 다음 숙소로 옮겨야 할 때가 다가왔다. 짧은 시간에 정이 많이 든 일행들은 나중에 육지에서도 한번 보자는 아쉬움이 가득한 인사를 나누었다. 이틀간 차를 태워준 직장인 언니께서는 다음 행선지를 묻더니 너무 감사하게도, 다음 숙소까지 바래다준다고 했다. 숙소에 다 와 가자 갑자기 뒷자리에서 책을 꺼내 나에게 건넸다. 나를 만나기 전 책방에서 유난히 눈길을 끄는 책이 있어 구매했다고, 이틀간 많은 대화를 하면서 이 책의 진정한 주인을 찾은 것 같아 꼭 선물해 주고 싶었다고 했다. 책과 함께 동봉된 나무 책갈피에는 '벵제도브제, 결국에는 다 잘될 거야'라는 문구가 초록색 잉크 펜으로 적혀 있었다. 너무 감동한 나머지 눈물이 날 것 같아 언니의 눈도 제대로 마주치지 못한 채 작별 인사를 했다.

나중에 책갈피의 뜻을 알아보니, 벵제도브제(będzie dobrze)는 폴란드어로 '결국에는 다 잘될 거야.'라는 뜻이었다. 내게 정말 필요한 말이었다. 결국에는 다 잘될 거다. 나도 우리 엄마도.

두 번째 숙소는 할머니 집에 온 것 같은 포근함이 있는 아주 정겨운 마을에 있었다. 나는 철제 대문을 열고 조심스레 들어갔다. 아직은 입실 청소로 바빠 보였다. 똥머리를 튼 약간은 그을린 피부의 앳된 얼굴의 스태프가 눈에 띄었다. 사장님께서는 두리번거리고 있는 나를 반겨 주셨다. 이번 숙소도 너무 좋았다. 따뜻한 조명과 빈티지한 가구가 가득한 우드 계열의 인테리어가 나의 마음에 쏙 들었다. 때마침 추적추적 내리기 시작한 비와 아주 잘 어울렸다. 짐을 풀고서 폭풍처럼 휘몰아쳤던 이틀 간의 여독을 풀고 있었다. 얼마나 피곤했는지 아무것도 하지 않고, 오로지 천장만 바라보며 누워있었다. 새로운 사람과의 여행은 생각 이상의 에너지를 소모하는 것 같다. 30분 정도 흘렀을까? 갑자기 오랜 적막을 깨고서 룸메이트가 들어왔다. 나보다 2살 많은 언니였다. 잠깐 이야기를 해보니, 둘은 사진 찍는 것을 좋아한다는 공통

점이 있었다. 덕분에 순식간에 친해졌고 곧 있을 포틀럭 파티에 가져 갈 음식을 함께 사 왔다. 이번 숙소도 역시 '포틀럭 파티'라고 음식을 사와 함께 나누어 먹으며 대화를 나눌 수 있는 시간이 있었다. 그렇게 또 다양한 사람들을 만났다. MBTI 이야기, 여행을 온 이유, 제주도 추천 맛집, 한라산 등반 꿀팁, 추천할 만한 국내 여행지 등등 다양한 사람만큼이나 다양한 주제의 대화를 나누었다. 입실할 때 유난히 눈에 띄었던 그을린 피부의 소녀는 나보다 1살 어린 동생이었다. 그리고 오늘이 이 게스트하우스의 첫 스태프로서 근무하는 날이었다. 짧은 대화만으로도 긍정적인 에너지가 넘치는 사람이라는 게 느껴졌다. 덕분에 나도 언젠가 게스트하우스의 스태프로 일을 해보고 싶다는 작은 바램이 생겼다.

다음날이 밝았고, 아침부터 비가 쏟아졌다. 비가 오는 날이면 더 분위기가 좋은 비자림 숲이 근처에 있어서 룸메이트 언니와 스태프 동생과 함께 다녀왔다. 숲 입구에 도착하자마자, 진한 피톤치드 향이 코를 뚫고 들어왔다. 비 덕분에 더 피톤치드향이 진해진 것 같았다. 언니동생과 이건 보약이라면서 연신 상쾌한 공기를 들이마셨다. 이 숲에 살면 수명이 한 50년은 더 늘어날 것 같았다. 축축한 바닥에 발이 푹푹 빠지기도 했지만, 마냥 좋기만 했다. 비가 와야 비로소 가까워지는 관계도 있더라, 좁은 우산 아래 어깨를 맞대면서 더욱 돈독해졌던 것 같다. 비에 젖은 어깨를 통해 서로를 위하는 마음씨를 엿보기도 했다. 촉촉하게 젖은 푸른 녹음은 강렬한 초록을 내뿜었고, 현무암은 더 짙어졌다. 초록과 검정, 이 색감의 대비가 주는 강렬함이 좋았다. 그리고 그 대비를 유연히 풀어주는 희뿌연 안개가 좋았다. 비가 오는 제주도는 정말 아름다웠다. 비 오는 날을 좋아하는 이유가 또 하나 늘어났다. 젖은 몸을 말릴 겸, 근처의 예쁜 카페로 이동했다. 따뜻한 차를 마시며 쉬었고, 메모지에 적은 짧은 편지를 주고받았다. 사진 인화기를 가져온 언니 덕분에 아까 숲 입구에서 찍은 단체 사진을 인화해 나누어 가졌다. 항상 헤어짐은 아쉬웠다. 하지만 아쉬움이 남아야 다음을 기약하게 되는 것 같다. 나중에 읽어본 동생의 편지에는 "저의 첫 게스트가 언니여서 좋았어요! 비록 오늘이 마지막 날이지만, 우리의 인연은 마지막이 아니길 바라요~"라고 적혀 있었다. 너무 감동적이었다. 정말 언젠가 꼭 한 번은 볼 수 있길.

　친구가 있는 세 번째 숙소로 이동했다. 이동하는 내내 빨리 만나고 싶어서 마음이 조급했다. 어찌나 반가웠는지 저 멀리서 서로의 형상이 보이자마자 우리는 얼굴 가득히 방그레 웃었다. 세상 고난을 다 이겨내고 이제야 푹 쉴 수 있는 집으로 돌아온 기분이었다. 지금껏 나는 새로운 사람에게 나를 설명해야만 했는데, 굳이 설명하지 않아도 되는 친구를 만나서 그런지 마음이 놓였다. 그동안 분명 좋은 영향을 많이 받은 건 확실한데, 그만큼 온 신경을 집중하느라 피곤했나 보다. 하루 종일 일에 치이다 귀가했을 때 눈앞에 보이는 잘 정리된 포근한 침대를 마주한 것 같은 심정이었다. 편안했다.
　친구와 숙소 근처 바다를 산책하며 3일간 있었던 일들을 이야기했다. 이번 숙소에는 힐링 대화 시간이 있었다. 오늘은 사장님 두분 중 감정을 건드는 주제를 잘 선정하는 남사장님이 진행하는 날이었다. 진행자인 사장님의 말에 위로를 받아 우는 사람도 있었다는 후기를 듣자, 갑자기 별로 참여하고 싶지 않아졌다. 지금껏 내면의 불안을 외면하고 있었는데, 이 대화 시간에 참석하면 갑자기 미뤄뒀던 걱정을 마주하게 되고, 결국 참았던 감정이 터져 나올 것이 뻔했기 때문이다. 나는 눈물 흘리는 약한 모습을 보여주는 걸 꺼리는 편이다. 엄청 친밀해진 사람이 아닌 이상 거의 나의 눈물을 보지 못했을뿐더러, 속 이야기조차도 듣지 못했을 거다. 그래서 처음 보는 사람들 앞에서는 더더욱 울고 싶지 않았다. 친구에게 오늘은 별로 대화 시간에 참석하고 싶지 않다고 했다. 친구는 그 이유를 물었다. 나는 차마 답하기가 어려웠다. 애초에 이 무거운 이야기를 주변 사람에게 말할 생각이 없었기 때문이다. 나만 걱정하면 되는데 친구에게 부담이 될까 봐 망설여졌던 것 같다. 괜한 동정을 받을까 봐 두렵기도 했고.

머릿속에서는 이미 할 말이 몇 번이나 정리됐지만, 입 밖으로 나오지 않았다. 목이 메이는 건지 할말이 목구멍에서 턱하고 막혀서 그런 건지… 목이 굉장히 답답했다. 말했을 때의 상황을 머릿속에서 몇 번이나 시뮬레이션 하다 보니 나도 모르게 갑자기 눈에서 굵은 물방울이 주룩하고 흘러내렸다. 눈물을 멈추려 할수록 더 콸콸 쏟아졌다. 친구는 놀란 기색이 역력했는데도 애써 평정심을 찾으며 다정히 내 등을 토닥여줬다. 오랜만에 소리를 내어 엉엉 울었다. 친구에게 미안했다. 그래서 나는 눈물범벅이 된 얼굴로 어렵게 입을 뗐다. "우리 엄마 많이 아파…. 우리 엄마 암이래…." 슬픔을 나누면 슬픈 사람이 둘이 되는 거라서, 나는 정말 절대 가족을 제외한 사람에게 말할 생각이 없었다. 사실 다른 핑계를 대서라도 끝까지 말하지 않을 수 있었을 텐데, 결국에는 말한 걸 보면 내심 누군가에게 기대고 싶었던 것 같다. 이왕이면 들키는 방식으로. 친구가 과하게 걱정할까 싶어 나는 말을 덧붙였다. 운이 좋게도 초기에 발견했고, 전이된 곳도 없고, 수술만 잘하면 예후가 좋을 거라고. 나의 모든 이야기를 들은 친구는 아마도 몰래 눈물을 훔쳤던 것 같다. 위로해 주는 목소리에 물기가 가득했다. 친구가 말했다. "말해줘서 고마워."

너무 미안하고 정말 고마웠다. 한참을 울고 나니 먹먹했던 가슴이 뻥하고 뚫렸다. 여행하는 내내 무언가 해소가 안 되는 기분이 들었는데, 지금에서야 그 이유를 찾은 것 같았다.

나는 나의 힘듦을 누군가에게 말하는 것이 어려웠다. K-장녀여서 그런 걸까? 나는 혼자서 이겨내려 하고, 힘들어도 혼자서 참으려는 게 습관이 됐다. 그래서 누군가에게 의지하거나 응석부리는 것이 쉽지 않았다. 정말 모든 걸 터놓고 말할 수 있는 인생이라는 건 없는 것 같다. 그래서 차마 말하기 어려웠던 것을 들어주는 사람이 있다는 것만으로도 큰 위로가 된다. 혼자 참는 것만이 해결책은 아니라는 걸 알았다. 말해야 비로소 엷어지기는 아픔도 있는 것 같다.

그 길로 눈물 자국이 가득한 얼굴을 수습하고, 근처 재즈바에서 사장님의 공연을 보며 친구와 와인을 한 병 마셨다. 좋아하는 것들이 가득한 그 공간이 너무 좋았다. 아쉬움을 뒤로하고 숙소로 돌아와 고민했던 힐링 대화 시간에 참석했다. 마음껏 울고 들어왔으니 더 이상 흘릴 눈물이 없을 것 같았다. 책을 읽는 숙소여서 책 이야기가 주를 이룰 줄 알았는데, 예상외로 굉장히 다양한 주제의 대화를 할 수 있었다. 다양한 사람들의 살아온 이야기를 들을 수 있었고, 그들의 지혜를 엿볼 수 있었다. 김태리 배우가 시상식에서 '배움은 그 누구도 챙겨주지 않고, 내가 훔쳐 먹는 것이다.'라는 수상소감을 했던 것이 갑자기 생각났다. 그래서 나도 그들의 경험담을 귀 기울여 들었다. 그리고 메모장을 켜서 도움이 된 말을 간단히 메모했다. 책을 읽는 숙소여서 그런지 대화의 질이 확실히 달랐다. 다양한 사람들과 대화하는 시간은 너무 유익했다. 기분 전환이 확실히 됐다. 역시 참석하길 잘했다 싶었다.

　다음 날 아침, 친구와 나는 절에 갔다. 종교는 없지만 둘 다 절을 좋아한다. 절의 자연 친화적인 모습과 그 특유의 느긋한 여유가 좋았다. 절은 마음을 아주 편안하게 해주는 것 같다. 비 오는 날의 절은 처음이었는데, 역시 너무 좋았다. 나는 절에서 엄마의 건강을 빌어줄 팔찌를 샀다. 엄마가 좋아하는 하늘빛의 터키석 건강 기원 팔찌였다. 조금이라도 엄마가 이걸로 희망적이게 된다면 차도가 좋아질 확률이 높아질 것 같았다. 나는 미신은 믿지 않지만, 인간 자체의 긍정적인 생각의 힘은 믿는 편이다. 그래서 나도 작년에 용궁사에서 산 나무 팔찌를 왼쪽 팔에 1년간 차고 다녔다. 그 작은 나무 팔찌에 위안을 많이 받았다. 엄마에게도 이 팔찌가 큰 힘이 되길 바랐다.

　친구와 함께하는 셋째 날이 밝았다. 아침 식사로 말고기를 먹었다. 말고기는 처음이었는데, 눈이 번쩍 뜨이는 정말 맛있는 소고기 맛이었다. 친구와 녹차밭으로 이동해서 연녹빛 녹차 사이를 걸었고, 그 옆의 비밀동굴에서 예쁜 사진을 찍었다. 친구도 나도 도시보단 자연을 선호해서 우리 둘 다에게 너무 만족스러운 장소였다. 바로 숙소로 들어가긴 아쉬워, 숙소 근처의 김녕해수욕장에서 시간을 보냈다. 바위 사이 물이 고인 곳에서 작은 새우를 잡기도 하고 모래에 글씨를 적기도 했다. 아빠의 카메라로 그 모든 추억을 담았다. 함께 있으면 마음이 편한 잘 맞는 친구와 여행한 덕분에 정말 힐링하고 왔다.

제주에서의 마지막 날, 아침으로 고기국수를 든든하게 먹은 우리는 공항으로 가기 전, 카페에서 쉬기로 했다. 나는 첫 번째 숙소에서 만난 언니가 준 책을 꺼냈다. 책을 읽다가 창밖의 바다를 구경하기도 하고, 졸리면 잠깐 눈을 붙였다. 마지막 날은 그렇게 친구와 푹 쉬었다. 꿈만 같았던 제주 여행을 뒤로하고 나는 가족이 있는 대구로 돌아왔다. 돌아갈 일상이 있음에 감사했다.

대구에는 비가 내리고 있었다. 나는 세차게 내리는 비를 뚫고 그리던 집에 도착했다. 너무 피곤했다. 바로 다음 날이 엄마의 수술이라 마음이 편치 않았는데도, 여행의 여독으로 인해 금세 곯아 떨어졌다. 다행이었다.

다음 날 아침, 나는 일찍 일어나 아빠와 대학병원으로 향했다. 물론 수술이 잘 될 걸 알고, 또 믿고 있었지만 만에 하나 작은 확률이라도 무시할 수 없었기에 솔직히 불안했다. 내가 '사랑하는 사람의 이름'과 '수술 중'이라는 단어가 나란히 있었을 땐, 제정신으로 있기 힘들어서 그랬을까? 모순되게도 엄청난 잠이 쏟아졌다. 분명 푹 자고 왔는데도 이상하리만큼 엄청 졸렸다. 엄마의 수술 시간 내도록 대기실 의자에 앉아 연신 고개를 떨구며 졸았다. 몇 시간이었는지 모를 수술과 회복이 끝나자, 드라마에서 보았던 장면이 펼쳐졌다. 스크린도어가 열리고 막 수술을 마쳐 지친 기색이 역력한 교수님이 보였다. 교수님은 수술이 잘되었다고 말씀하셨다. 마음 한구석 남아있던 불안감이 사르르 녹아 없어졌다. 우리 엄마는 막 마취에서 깨어나 비몽사몽한 눈으로 나와 아빠를 바라봤다. 그리고 우리 가족의 이름을 소리 내어 불렀다. 나는 그런 엄마의 손을 꽉 잡아주었다. 하던 공부를 멈추고 쉼을 선택한 덕분에 우리 엄마를 타인의 손에 맡기지 않고 내가 살필 수 있었다. 처음에는 괜한 객기를 부린 게 아닐까 걱정도 됐다. 하지만 내가 공부를 계속 했더라면 이 자리에 있을 수 없었을 거다. 이제 와서 모든 경험을 마무리하고 보니 모든 것은 필연이었다. 병간호는 정말 절대 쉬운 일이 아니었지만, 그래도 가장 가까이서 돌볼 수 있는 사람이 나여서 정말 다행이라고 생각했다. 엄마가 내가 있어서 너무 든든하다고 말했다. 뿌듯했다. 엄마, 내가 더 고마워.

2주간의 병원 생활이 끝나고 나는 집으로 돌아왔다. 그리고 미뤄두었던 제주 여행에 대한 생각 정리를 할 수 있었다. 거진 일주일 내도록 밀린 일기를 썼는데, 제주에서 깨달은 점이 가득 적혔다. 기억은 휘발성이 강해서 잘 놀았다~하고 넘겨버리면 금방 잊힌다. 이렇게 몇 번을 곱씹으면 기억에도 오래 남을뿐더러 그제야 깨닫게 되는 것들이 있다.

제주도로 여행을 떠나기 전, 나는 새로운 사람들 앞에서의 어떤 사람일지 궁금했다. 이번 여행은 그 궁금증을 해결해 줬다. 사람은 어떤 환경이 주어지는가에 따라 다양한 모습을 보이는 것 같다. "어? 내가 이런 행동을 다 하네?" 하면서 말이다. 나는 내 생각보다 훨씬 더 활달한 사람이었고, 주변 사람들을 잘 챙겨주는 따스한 사람이었다. 스몰토크를 잘하고, 어색한 분위기를 잘 풀어주는 분위기 메이커였다. 기분이 좋으면 그게 얼굴에 다 드러나는 순수한 사람이었다. 심층적인 이야기를 많이 해서 그런지, 나이에 비해 성숙하다는 얘기도 많이 들었다. 나는 직장인분들이 인정한 사회생활 장인이었다. 여행을 떠나면 이런저런 경험을 통해 나를 더 잘 알 수 있게 되는 것 같다.

혼자 떠나는 여행에서는 모든 선택이 오롯이 나의 몫이다. 누군가와 함께 할 때는 내가 진짜 원하는 것과 상대가 원하는 것의 절충안을 찾게 되는데, 혼자 있을 때는 내 마음을 보다 솔직하게 대할 수 있게 된다. 나는 바다가 보고 싶었고, 버스와 택시 둘 중 하나를 골라야 했다. 버스를 타면 40분이나 걸렸고, 택시는 10분이면 도착할 수 있었다. 그때 나는 택시를 골랐다. 여기서 드러난 나의 가치관은 경험 〉 시간 〉 돈이라는 것이다. 이렇듯 내가 내키는 대로 선택하고 이행함으로써 나의 가치관이 두드러지는 것 같다. 크고 작은 선택을 해야 하는 순간들이 많은데, 이를 통해 자연스레 나의 취향도 드러나게 된다. 취향을 알면 취미가 생기고, 취미가 생기면 확실히 삶이 풍요로워지는 것 같다. 그리고 이런 사소한 것들이 모여 나를 행복하게 하는 것 같다.

나의 체형을 알면 옷을 살 때 실패할 확률이 줄어드는 것처럼, 나를 잘 알면 후회할 선택을 할 확률이 줄어든다. 제주 여행을 통해 알게 된 것들이 앞으로 수많은 것들을 선택할 때 큰 도움이 될 것 같았다. '나다움'을 찾은 것 같았다.

옷깃만 스쳐도 인연

본가가 대구여서 눈을 볼 기회가 적었던 나는 유독 눈을 좋아했다. 작년에 삿포로로 여행을 다녀온 것도 눈을 실컷 보고 오고 싶은 마음

때문이었다. 그래서 전국적으로 비가 온다는 소식에 바로 강원도 날씨를 확인해 봤다. 역시나 강원도에는 눈이 펑펑 온다는 예보가 있었다. 나의 버킷 리스트 중 하나였던 눈이 오는 바다를 보기 위해서 강릉으로 떠나기로 했다. 병간호를 하느라 제대로 쉬지 못했던 나에게 선물하는 육체적 휴식이기도 했다.

　대구에서 강릉까지는 시외버스로 무려 5시간 거리였다. 정말 살벌한 이동 시간이었지만, 눈과 바다를 보기 위해서라면 괜찮았다. 제주에서 게스트하우스의 가성비를 맛본 나는 강릉에서도 역시 게스트하우스를 찾았다. 장작 값 6000원만 내면 날씨에 관계없이 모닥불 앞에서 노래를 듣고, 도란도란 이야기할 수 있는 낭만 넘치는 숙소를 찾아 버렸다. 바다와 가까워서 다 같이 걸어서 밤바다를 보고 왔다는 리뷰도 가득했다. 눈도 바다도 캠핑도 너무나 사랑하는 나는 차마 예약하지 않을 수 없었다. 모닥불 시간이 너무 기대됐다.

　여행 당일 오전, 떨리는 마음으로 버스에 올랐다. 긴 이동시간에 지친 나는 자다 깨기를 반복했다. 강원도에 가까워지자, 온통 하얀 세상이 나를 반겼다. 창밖의 풍경이 나를 절대 잠들지 못하게 했다. 한국에도 이렇게 눈이 많이 오는구나. 마치 다른 나라 같았다. 작년에 다녀온 삿포로가 겹쳐 보였다.

　강릉시외버스터미널에 도착하자마자 펑펑 내리는 눈이 나를 반겼다. 오랜만에 보는 눈에 기분이 날아갈 듯했다. 곧장 숙소로 향했고, 방에는 벌써 룸메이트가 도착해서 쉬고 있었다. 나보다 1살 어린 동생이었다. 성격과 나이가 비슷했던 우리는 금세 친해졌다. 모닥불 시간까지는 아직 시간이 많이 남아, 숙소 근처 바다를 구경하고 오기로 했다. 펑펑 내리는 눈을 맞으며 10여 분을 이동하자, 그렇게 바랐던 눈이 쌓인 새하얀 바다가 저 멀리 보였다. 정말 가슴이 벅찼다. 바다만으로도 너무 좋은데, 눈이 오는 바다라니. 누군가에게는 거의 평생소원이 누룽지 격으로 사소해 보이겠지만, 나에겐 너무나도 바라던 순간이다. 얼마나 신이 났는지 나는 여기저기를 방방 뛰어다녔다. 태어나서 처음 보는 눈이 오는 바다였다. 이번 강릉 여행에는 할아버지의 오래된 수동 필름 카메라를 가져왔다. 50년도 넘은 카메라라 잘 작동되는지 확인하고 싶었다. 그리고 내가 바랐던 풍경을 필름카메라로 찍으면 더 낭만 넘치는 결과물이 나올 것 같았다. 기대됐다. 뽀드득 뽀드득 눈을 밟으며, 나는 열심히 강릉의 바다를 담았다.

기다리고 기다리던 모닥불 시간이 됐다. 마당에서 동생과 함께 눈오리 집게로 눈오리를 만들다가 오두막 안으로 이동했다. 둥그렇게 의자가 놓여 있었고 사장님께서는 그 중앙에서 벌써 불을 피우고 계셨다. 오랜만에 맡아보는 장작 타는 냄새에 설렜다. 열댓 명의 신청자가 모두 모이자, 사장님께서 모닥불을 진행하셨다. 음악을 선정할 DJ 한 명, 장작을 계속 넣을 사람 한 명, 총 두 명이 필요했다. 옆자리의 새로 친해진 룸메이트 언니가 나보고 우리 둘이서 하자고 했다. 나는 옆에서 부추겨주면 잘 나서는 타입이다. 그래서 나는 모닥불의 DJ가 되었고 언니는 장작 담당을 맡았다. 간단한 자기소개 시간을 가졌고, 농

부부터 식당 자영업자, 개발자, 회사원, 대학생 등등 각기 다른 인생을 살아온 사람들이 불 앞에 모여 즐거운 시간을 보냈다. 나는 DJ로서의 본분을 다하기 위해 검정치마와 잔나비, 카더가든, 데이먼스이어, 폴킴의 노래가 대부분인 내가 만든 플레이리스트를 틀었다. 서정적인 가사와 멜로디가 모닥불과 잘 어울릴 것 같았다. 다행히도 다들 선곡 센스가 최고라며 좋아해 주셨다. 옆에서 조용히 노래는 듣고 있던 분은 진짜 내 플레이리스트가 맞냐 물어보기도 했다. 나와 노래 취향이 비슷했나 보다. 그래서 괜스레 기뻤다. 신청곡도 받아서 틀었는데, 혁오 노래에는 다 같이 떼창을 하기도 했다. 정말 정겨웠다.

모닥불 앞에 있으니 얼굴은 뜨거운데 등은 시원해서 딱 온도가 적당했다. 어렸을 적, 부모님과 자주 캠핑 했던 기억이 떠올랐다. 그때도 나는 불 앞에 앉아 불멍 하는 걸 좋아했는데, 지금도 그런 걸 보니 어렸을 적 취향은 참 오래가는 듯했다.

숙소의 리뷰처럼 모닥불이 끝나자, 하나 둘 밤바다를 보러 갈 사람들이 모였다. 룸메이트 동생도, 장작 담당 언니도, 아까 노래 취향이 비슷했던 분도 같이 가겠다고 했다. 모닥불에 참석한 거의 대부분의 사람들이 함께 이동했다. 밤바다는 낮바다와는 다르게 아주 무섭게 몰아쳤다. 분명 파도가 치는건데 건물이 무너지는 듯한 큰 굉음이 들렸다. 이렇게나 큰 파도는 생전 처음 봤다. 바닷바람이 심하게 불어 생각보다 많이 추웠다. 나는 미리 핫팩과 장갑을 챙겨와서 괜찮았는데, 노래 취향이 비슷했던 분이 코트를 입고 계셔서 너무 추워 보였다. 그래서 핫팩을 빌려줬다. 조금 더 바다를 구경하며 시간을 보내다가 잘 시

간이 되어 다들 오들오들 떨면서 숙소로 돌아갔다. 숙소는 아주 따뜻
했고 덕분에 꿈꿀 새도 없이 푹 잘 잤다.

　강릉에서는 동행이 생길 거라는 기대를 전혀 하지 않았다. 강릉의
명소도 잘 몰랐고, 바다만 보면 충분했기 때문이다. 그런데 다음 날 아
침, 퇴실 시간 30분 전에 갑자기 동행이 생겼다. 나갈 채비를 일찍 마
친 사람들은 하나 둘 2층의 가스 난로방에 모였고, 가볼 만한 장소와
맛집 관련 얘기를 했다. 그렇게 자연스레 목적지가 같아졌고 같이 이
동하게 됐다. 차를 가져온 정말 친절한 분이 나와 노래 취향이 비슷했
던 분을 태워 주셨다. 눈길 운전이라 많이 힘드셨을 텐데 너무너무 감
사했다.

　떡갈비 맛집에서 육회 물회 세트를 먹었다. 분명 떡갈비 맛집인데,
육회 물회도 정말 맛있었다. 배를 꺼트릴 겸, 근처의 소품샵을 구경했
다. 요즘 인센스를 피우는 것이 취미였던 나는 귀여운 돌고래 모양 인
센스 홀더를 하나 구매했다. 강릉을 기억하기 위한, 나만의 작은 기념
품이었다. 다 같이 대관령 근처의 카페로 이동했다. 카페의 감미로운
음악과 우디한 인테리어가 잘 어우러졌고 창밖 나무의 눈꽃이 아름다
웠다. 눈꽃까지 인테리어의 일부처럼 느껴질 정도로. 마침 주문한 핸
드드립 커피도 내 입맛에 아주 잘 맞았다. 모든 게 완벽했다. 여유를
만끽하며 동행들과 즐거운 시간을 보냈다. 다음 목적지는 하늘 목장
이었다. 올해 태어난 아기 양을 만날 생각에 너무 설렜다. 눈길을 뚫고
힘겹게 도착했는데, 주차장에는 우리 일행을 제외한 차가 단 한 대도

없었다. 이상했지만, 일단 내렸다. 아니나다를까 하늘목장은 폭설로 인해 임시 휴업 중이었다. 그래서 우리는 눈이라도 실컷 구경하기로 했다. 눈 앞에 펼쳐진 엄청난 설경에 나는 압도당했다. 내 모습을 필름 카메라에 담고 싶어서 노래 취향이 비슷했던 분께 카메라 작동법을 알려주고 사진을 부탁드렸다. 잘 찍어 주셔서 너무 고마웠다. 그렇게 한 컷 찍고 다시 일행들에게 돌아가려는데 저 멀리서 외치는 소리가 들렸다. "제설차가 들어와야 해서 차를 빼 주시면 감사하겠습니다~!!" 아쉬웠지만 더 머물 수가 없었다. 그렇게 다시 숙소 근처로 돌아왔고, 같이 차를 탔던 분들과 저녁으로 장군시오야끼를 먹고 헤어졌다. 뜻밖의 동행 덕분에 너무 알차고 즐거웠던 하루였다.

노래 취향이 비슷했던 분과는 하루 종일 같은 차를 타고 이동했다. 아무래도 이동시간이 길어서 그런지 대화할 시간이 많았다. 노래 취향만 비슷한 게 아니라 향수를 좋아하는 것도 비슷했다. 공통점이 많아서 대화가 아주 잘 통했다. 그래서 그랬던 걸까. 저녁을 정산할 겸 시작한 연락이 계속 이어졌다. 그렇게 강릉 여행이 끝나고도 몇 번 더 만나 밥을 먹었다. 더욱 진지한 대화들이 오갔다. 그는 차에서 내가 한 말이 인상깊었는지, 오래 기억하고 있었다. "향수를 뿌리고, 좋아하는 옷을 입고, 손톱을 가꾸면 나 스스로를 존중해주는 것 같아서, 그게 좋았어요." 아마 이런 말이었던 것 같다. 그리고 책을 좋아한다는 점과 강릉 여행 중에 계속 카메라를 들고 다니는 모습이 너무 잘 어울려서 기억에 오래 남았다고 했다. 나만의 아이덴티티가 생긴 것 같아서 내심 기분이 좋았다. 그리고 고마웠다. 흘러가듯이 한 말을 오래 기억해 줘서…. 그는 어딘가 뚝딱거렸지만, 예의 있고, 다정한 사람이었다.

우리는 시간이 맞을 때마다 만났다. 하나 둘 좋은 추억들이 늘어갔다. 이렇게 짧은 시간에 이정도로 가까워진 건 처음이었다. 처음에는 여행지의 설렘 때문이 아닌가 했었다. 그런데 가치관이나 취향, 생각하는 방식이 비슷하니, 함께 있는 시간이 즐거웠고, 그렇게 같이 보내는 시간이 자연스럽게 늘어나게 된 거였다. 함께 있으면 편안했다. 아마도 결이 비슷한 덕분이 아니었을까?

새로 도전하고 싶은 일이 생겼는데, 나는 망설이고 있었다. 그는 나의 고민을 진지하게 들어주었다. 그리고 지금까지 자신이 걸어온 길을 들려줬다. 그리고 도움이 될 것 같은 주변 사람들의 이야기들도 말해 줬다. 그는 나와 비슷했다. 그도 생각을 몰아서 정리하는 편이었다. 그래서 하고싶은 일을 찾고 제대로 하기로 마음먹기까지 너무 오랜 시간이 걸려 힘들었다고 했다. 그래서 나만큼은 부디 오래 걸리지 않았으면 좋겠다고 했다. 치열하게 고민하되, 너무 오래 질질 끌면 안 될 것 같았다. 나중에 '시간만 날렸네. 진작 시작할 걸' 하고 후회를 할 것 같았기 때문이다. 때론 과감한 실행이 필요한 것 같다. 그래서 하지 말아야 할 이유보다는 해야 할 이유를 찾기로 했다. 그는 자기 일인 양 머리 아파하면서도 최선을 다해 내가 후회할 결정을 하지 않도록 옆에서 도와줬다. 너무 고마웠다. 덕분에 가야 할 길을 막고 있던 망설임이 사라졌다. 나는 새로운 꿈을 향해 달려가기 위해 수능준비를 다시 준비하기로 했다. 그도 나에게 자극을 받아 자격증 준비를 시기를 앞당겼다고 했다. 서로에게 좋은 영향을 준 것 같아 좋았다.

　나는 발전적인 관계로 우상향하는 사이가 좋다. 서로의 마음을 확인하고 좋은 감정을 나누는 것도 물론 좋지만, 각자의 발전도 중요하다고 생각한다. 그래서 나는 나의 모든 관계들이 함께라서 시너지를 발휘할 수 있었으면 좋겠다. 그렇게 나아가다가 한 명이 넘어지면, 다른 한 명이 일으켜줄 수 있는 그런 관계. 각자의 인생에 집중해야 할 때는 해야 하는 일에 충실하다가, 때가 되면 안부 인사를 하고 따스한 밥을 나누어 먹고, 함께 산책하는. 서로에게 동기부여가 되는. 생각만 해도 절로 웃음이 나는 아주 이로운 관계. 함께할 벅찬 미래가 그려지는 사이가 되었으면 좋겠다. 그러다 다시 보았을 때 "더욱더 멋진 사람이 됐네! 역시 해낼 줄 알았어." 라고 서로에게 말할 수 있는 발전적인 사이.

See you :)

　청춘의 한가운데서 이 악물고 버티다 무너졌던 나는 하던 공부를 멈추고 잠시 쉬고 있었다. 그리고 혼자 국내 이곳저곳을 마음껏 여행했다. 정말 많은 걸 경험했고 배웠다. 좋은 인연도 만났다. 나는 꿈을 찾았고, 그 꿈을 향해 달려가기로 마음먹었다. 그리고 그 일련의 과정을 이 책에 담게 됐다.

　현재 나는 확실히 안정적이고 행복하다. 잃어버렸던 '나다움'을 찾았다. 주변 친구들도 말한다. 올해의 너는 확실히 단단해진 것 같다고. 눈이 엄청나게 반짝거린다고. 그래서 뭘 하던 분명 잘 해낼 것 같다고. 나도 그런 나의 미래가 무척이나 기대된다. 마음껏 도전하고 경험하고 배워야지. 혹여 넘어지더라도 무릎을 탁탁 털고 다시 일어나, 씩씩하게 앞으로 나아가야지.

　다시는 '나다움'을 잃지 말아야지.

왜 제주도로 오셨어요?

박지혜

박지혜 사춘기는 인생에 한 번인 줄 알았습니다. 두 번째 사춘기는 어디에 말도 하지 못하고, 이게 사춘기인 줄도 모르고 혼자 이렇게 쓸쓸히 아파야 할 줄 차마 몰랐습니다. 어디선가 두 번째, 혹은 세 번째 사춘기를 보내고 있을 누군가에게 여기 이렇게 앓고 있는 사람이 또 있다고, 우리 함께 앓다 각자의 계절에 서로의 모습대로 아름답게 꽃 피워보자고 말하고 싶어 이 글을 남깁니다.

제주에서는 월요일을 기다리게 된다. 제주에 내려온 다음 날부터 지금까지 꼭 9시면 집을 나와 동네 길을 산책하곤 한다. 그 산책의 마지막 종착지는 늘 맛나빵집이다. 테이블이 있는 작은 마당을 가로질러 스무 발자국쯤 들어가면 뾰족한 삼각형 붉은 지붕 아래 일곱 난쟁이들의 작은 집처럼 소담한 입구부터 나를 설레게 하는, 이름부터 동화 같은 이 사랑스러운 빵집. 어쩔 땐 이 빵집을 지나려고 동네를 산책하는 것만 같다. 버터 향이 진하게 배어든 통통한 소라 모양 빵 위에 짭짤한 소금이 흰 눈꽃처럼 솔솔 내려앉은 소금빵. 생각만으로도 입안 한가득 침이 고인다. 금요일, 토요일보다 기다려지는 월요일이 있는 삶. 그 어느 때보다도 온전히 편안하고 행복하다.

　제주에 온 이후로 알람 시간을 맞춘 적이 없다. 희한한 것은 알람 소리가 없어도 아침 7시면 눈이 떠진다는 것인데, 늘 생활하던 시간에 눈이 뜨이더라는 예의 그 관성적인 습관 같은 것은 아니다. 그건 바로 새벽마다 찾아와 항상 같은 시간부터 지저귀는 새들 덕분이다. 항상 같은 시간에 찾아와 도로롱-귀를 간지럽히며 나의 단잠을 깨우는 새

소리. 일정한 시간에 일정한 간격으로 지저귀는 생명의 소리를 들으면 나는 '네가 오늘도 왔구나' 하고 미소를 지으며 창가에 얇게 드리운 레이스 커튼을 걷어내 이내 밝아진 제주의 아침을 맞이하는 것이다.

그렇게 제주, 그중에서도 아주 동쪽에 위치한 어느 작은 마을 종달리에서의 하루가 시작된다. 바삭바삭한 아침 햇살을 온몸으로 맞으며 이내 에어컨의 냉기가 아주 조금 남아있던 이불을 걷어내며 기지개를 켠다. 입고 있던 잠옷을 벗고 연보라색 돌핀 팬츠와 넉넉한 치수의 반소매 티셔츠를 꺼내 갈아입는다. 바스락거리는 시어서커 소재의 이불은 두어 번 털어내면 금세 펼쳐져 매트리스 위에 내려앉으며 반듯하게 각이 맞는다. 이 모든 행위는 마치 하나의 의식처럼 질서정연하게 나의 일상을 지켜준다. 딱히 정해진 일정이나 해야 할 일은 없다. '해야 할 일이 없다'는 것이 나를 불안하게 하던 적도 있었다. 하지만 이제는 해야 할 것 없는 무료하고 느린 이 삶이 정말이지 행복해 하루하루가 천천히 지나길 바라게 된다.

아침 식사는 늘 간단하다. 어린잎 녹차와 땅콩버터 바른 사과 반쪽. 음식 솜씨가 좋은 엄마는 아침부터 오첩반상을 쉽게 차려냈는데 그 정갈한 맛이 문득 그리워 엄마에게 무작정 전화를 걸고 싶었던 적도 있었다. 하지만 이내 그 마음도 꾹 참았다. 내 그리운 엄마는 꿈에도 모른다. 서른 중반의 딸이 회사에서 잘리며 받은 위로라는 명목의 돈으로 제주도에 홀로 내려와 있다는 것을. 그래서 나의 이 평온해 마지않는 일상은 가장 가까운 이들에게 철저히 비밀에 부쳐져 있어 어떨 때는 마치 이중생활을 하는 스파이의 일상을 방불케 한다.

며칠에 한 번꼴로 예닐곱 시쯤 꼭 바닷가에서 하염없이 뉘엿뉘엿 해가 떨어지는 풍경을 넋 놓고 바라보다 나의 안부를 궁금해할 엄마에게 전화를 걸기도 한다. 별일 없냐고 묻는 엄마에게 아무 일 없다고 씩씩하게 대답하곤 얼른 화제를 돌려 오늘 먹을 저녁 메뉴에 대해 한바탕 수다를 떤다. 엄마가 해주는 집밥이 가장 그립다고 너스레를 떨며 다음 달엔 꼭 가겠다는 약속과 함께 전화를 끊고 나면 따뜻한 오렌지색이었던 하늘은 어느새 짙은 푸른색이 된다. 그러면 파도가 모래에 부딪히는 소리는 유독 커지고 만다. 귓가 근처에서 '처얼-썩 처어얼-썩' 한바탕 밀려들었다 우수수 뒷걸음질 치며 달아나는 파도의 움직임을 몇 시간이고 바라보고 있으면 그저 끝 모를 적막만이 흐른다. 이따금 불어오는 조금 눅눅하지만 선선하고 짭짤한 바람을 맞으며 두 다리를 끌어안은 채 모래사장 위에 동그마니 앉아 있으면 온 우주에 나 혼자만이 남은 것 같은 묘한 외로움, 그와 동시에 완전히 자유로워진 듯한 해방감이 동시에 밀려든다. 그러고 나면 나는 이 상실로부터 얻은 자유를 너무나도 사랑하고 있음을 다시 한번 깨닫는다.

나의 상실은 불청객처럼 예의 없이 불쑥 찾아왔다. 나는 대기업의 임원 비서였다. 비서학과를 졸업했거나 관련 경력이 있는 것은 아니었지만 마침 영어를 할 수 있는 비서를 뽑는다는 공고문 속 한 문장을 보고 덜컥 지원했고 영어 관련 학과를 졸업한 덕에 어렵지 않게 입사할 수 있었다. 내가 모셨던 임원은 꾸준히 능력을 인정받아 회사에서 어느 정도 안정적인 궤도에 올라가 있었고 조금 무뚝뚝한 면이 있어도 말수가 적고 과한 의전을 끔찍이 싫어하셨기 때문에 사근사근한 성격은 못 되는 나의 성격과도 곧잘 맞았다.

업무는 늘 똑같았다. 매일 아침 출근해 커피 머신으로 아이스 아메리카노와 냉수를 각각 한 잔과 신문, 사보를 집무실 책상에 가져다 둔다. 그 이후부터는 상사의 모든 일정을 관리하고 이따금 영문 자료를 번역한다. CEO와의 일정이 있는 날이거나 주요 고객과의 외부 미팅이 있는 날에는 구두를 닦아두고 명함 지갑에서 오래된 명함을 새 명함으로 바꿔둔다. 크게 달라질 것 없는 업무, 매일 반복되는 일상에서 어느새 세 번의 사계절이 지났다.

그러는 사이 고요하게 많은 것들이 변해갔다. 그 무렵 점심시간 구내식당엔 여기저기서 구조조정이라는 단어가 심심치 않게 들려왔다. 몹시 불안해하던 그들과는 달리 나는 마치 다른 회사 남의 이야기를 듣듯 그 모든 말들을 흘려들었다. 그 당시 나에겐 그런 일은 절대 내게 일어나지 않을 거라는 아주 막연한 근거 없는 자신감이 있었다. 내가 모시는 분의 자리는 굳건할 것으로 생각했고 나에게는 영어라는 무기가 있다고 생각했다. 하지만 그 모든 게 얼마나 오만한 생각이었는지를 깨닫게 되는 데에는 불과 며칠이 걸리지 않았다.

그날은 상사가 임원회의 이후 계획에 없던 휴가를 낸 지 이틀째가 되던 날이었다. 계획에 없던 휴가를 떠난 적이 없던 분이었던 탓에 나는 할 일 없이 자리에 앉아 묘한 불안감을 느끼고 있었다. 인사팀의 한 차장이 잠시 사내 카페에서 이야기를 나누자는 내용의 메신저가 왔다. 사무실이 있었던 5층에서 카페가 있는 1층에 도착하기까지는 대략 5

분도 걸리지 않았을 것이다. 그 짧은 시간 동안 나의 머릿속에는 수많은 물음표가 스쳐 지나갔다.

'나는 아니겠지?'

'나라면 왜?'

'만약에 나라면 어떻게 해야 하지?'

커피 그라인더 소리를 피해 비교적 조용한 구석 자리를 선택했을 그녀는 다리를 외로 꼰 채 머그잔을 입에 가져다 대고 있었다. 내 순서가 어느 정도였는지는 알 수 없어도 이미 나를 만나기 전 여러 명과의 대화를 거치고 왔음에 틀림없어 보이던 그녀는 이제껏 똑같이 읊었을 시나리오 그대로 나에게 사직을 권고하기 시작했다. 회사의 경영난으로 임원을 감축하게 되었으며 그에 따라 비서도 권고사직 대상이 되었다. 퇴사를 강요할 수는 없지만 퇴사한다면 소정의 위로금이 지급될 것이고 퇴사를 하지 않는다면 당신은 인력이 필요한 아무 부서에 강제 배치되리라는 것이 골자였고 말미엔 잘 생각해 본 뒤 일주일 뒤 다시 만나자는 말로 일방적인 대화는 끝이 났다.

지친 기색이 역력한 표정이었지만 그녀의 목소리와 말투만은 한없이 상냥하고 따뜻했는데 그 입에서 나온 수많은 단어는 모두 하나의 문장으로 완성됐다.

'그래서 우리는 더 이상 당신이 필요 없습니다.'

혹시 궁금한 게 있냐는 그녀의 상투적인 물음에 머릿속을 맴돌던 몇 개의 물음표는 말줄임표가 되고 말았다. 그 자리에서 나는 어떤 말도, 질문도 하지 못했다. 아무런 대비 없이 얻어맞은 스트레이트 펀치의 위력은 대단했다. 퇴근 후 집으로 돌아가, 집이라 부르기에도 어려운 5평 남짓한 원룸 벽 쪽으로 한껏 붙여 놓은 슈퍼 싱글 사이즈 침대에 외출복 차림으로 드러누워 바라보던 천장은 마치 K.O 된 채 링 위에 드러누운 복싱 선수가 바라보던 그것과 같았을 것이다. 아무 무늬도 자국도 없이 온통 새하얀 천장. 나는 속절없이 드러누워 끝없는 심연 속으로 가라앉았다.

얼얼한 통증을 느끼는 와중에도 나는 퇴사와 잔류 중에 결정해야 했다. 아니, 애초에 내게 결정권이라는 것은 없었던 걸지도 모른다. '계속 회사에 남는다면 아무 부서에나 배치될 것'이라는 말이 나를 가장 아프게 했다. 목구멍이 포도청이라고, 사는 게 다 그런 거라고, 다른 직장 구할 때까지 조금만 참아보라고 해도 몇 달의 생계 유지비용을 위해 아무런 선택도 할 수 없이 주어진 대로 회사에서의 삶을 버텨내야 하는 건 죽기보다 힘들 것 같다고 생각했다. 그제야 지금 느끼고 있는 찌르르한 고통은 내 삶의 주체성을 잃었기 때문이었다는 걸 알았다.

막상 퇴사를 앞두고 앞으로는 뭘 해야 하나 고민이 되기 시작했다. 또다시 비서? 아니면 다른 직무? 하지만 어떤 직무가 내게 잘 맞을까? 난 이제 어디로 가는 걸까? 내 속을 헤집는 모든 질문에 단 하나도 명확하게 대답할 수가 없었다. 그때 나는 정말 무엇인가 잘못되어가고 있는 것 같은 두려움을 느꼈다. 목적지가 어디인지도 모르고 눈가리개가 씌워진 채 무작정 앞으로만 달리는 경주마 같던 나.

무엇을 열망하는지, 무엇을 할 때 즐거운지, 어떤 음식을 먹을 때 기쁜지, 어떤 모습일 때 가장 무력한지. 열심히 달리는 동안 내가 어디로 가고 있는지를 모른다는 생각이 들 때마다 지금이라도 멈춰야 하나? 늘 고민했다. 그 고민은 반복되는 출퇴근길에 잠시 나와 함께하다 늘 며칠을 가지 못해 사라지곤 했다. 치열하게 고민하지 않았기 때문에, 나에게 이런 일은 생기지 않을 거라고 자만했기 때문에, 다들 이렇게 산다는데 내 인생도 이러다 어디로든 닿을 거라고 생각하며 안일했기 때문에 오늘 이렇게 아픈 거구나 하고 생각하자 천장을 바라보고 있던 눈앞이 금세 뿌예졌다. 절대로 울고 싶지 않았는데, 입술을 깨물어가며 참아봤지만 가차 없이 내팽개쳐진 계절 지난 옷처럼 아무렇게 널브러져 엉엉 소리를 내며 울어버리고 말았다.

일주일 뒤 만나자던 인사팀 차장에게 하루 만에 연락해 그만두겠다고 말했다. 나보다 먼저 퇴사 결정을 해야만 했던 사람들보다도 먼저 결정을 내린 나에게 그녀는 아주 잠시 놀란 표정을 짓다가 이내 미소를 지으며 현명하고 빠른 판단 고맙다고 대답했다. 그 말에 픽하고 새어 나오려는 웃음을 꾹 참고 그녀가 꼼꼼히도 준비해 온 퇴사 관련 서류들을 작성했다. 서류는 많지만 내 서명이 필요한 자리는 두세 군데 정도밖에는 되지 않았다.

그날로부터 퇴직금과 위로금이 정산되어 통장으로 입금되기까지 채 2주가 걸리지 않았다. 내 뒤로 입사할 비서는 없었기 때문에 인수인계도 필요 없었다. 아쉬운 표정을 짓는 팀원들과 비서 동료들에게 마지막 인사를 건네며 그렇게 회사와 이별하고 집으로 돌아왔다. 돌아가는 길에 네 캔에 만 원 하는 맥주를 여덟 캔 샀다. 집 앞 골목에 있던 통닭집에서 누룽지 통닭과 똥집도 하나씩 샀다. 그렇게 집에 돌아오자마자 작은 앉은뱅이책상에 맥주와 통닭을 한 상 차렸다. 그건 어쨌건 성실하게 버텨온 나에게 주는 포상이었다. 그렇게 생각하자 회사에서 잘렸다는 서러움은 온데간데없이 사라졌다.

마침 회사 동료, 친한 친구 한 명을 제외하곤 나의 퇴사 사실을 아는 사람은 없었다. 당분간은 내가 어디서 무엇을 하던, 아무도 알 수 없을 거라는 자유로움과 매일 아침 똑같은 시간에 눈을 떠 출근해야 한다는 강박을 완전히 벗어났다는 해방감만이 존재할 뿐이었다.

마냥 주어지지는 않을 이 소중한 시간을 어떻게 쓸지 고민했던 것도 잠시. 이틀 뒤에 제주도로 향하는 티켓을 예매했다. 조심성이 많은 데다가 계획적인 나에게는 평생에 한두 번 있을 일이지만 더 이상 많은 고민은 하지 않기로 했다. 티켓을 예매한 다음 날 제주도 한달살이 숙소를 결정했고 렌터카를 계약했다. 나의 행동은 마치 있던 곳으로 돌아가는 사람처럼 자연스럽고 당연했다. 이것이 제주도에 오기 전 나의 일상이다.

그렇게 선택하게 된 작은 마을 종달리에는 심야식당도 하나 있다. 대체로 늦게 오픈해 빨리 마감하는 식당들이 많은 이 마을에서 그나마 늦은 시간까지 조용히 혼자 시간을 보내고 싶을 때 이 식당이 얼마나 큰 위안이 되는지 모른다. 캔맥주보다 생맥주의 부드러움을 좋아하는 나는 시원한 생맥주 한 잔에 달고기 튀김을 먹고 싶을 때면 어김없이 이곳을 찾는다. 처음 메뉴판에서 달고기 튀김이라는 메뉴를 발견했을 때 그 이름이 너무 생소해 가게 주인에게 물어보니 달고기는 몸통 옆쪽에 보름달 같은 둥근 점이 있는 물고기여서 그런 이름을 갖게 되었다고 했다. 우리나라 다른 지역에서는 전갱이, 다른 나라에서는 태양의 고기라고도 한다고 한다. 물고기 하나에도 이렇게 많은 이름이 있고 그 이름마다 붙여진 이유가 있다는 이야기를 듣고 문득 이런 생각이 들었다. 똑같은 '나'라도 누군가에게는 다른 의미를 가진 또 다른 이름이고 싶다는 그런 시답잖은 생각.

마을 풍경을 바라보며 맥주를 마실 수 있어 내가 가장 좋아하는 테라스 자리를 사수하려고 사람이 가장 적은 월요일을 골랐다. 그러나 문을 열자마자 자리마다 사람들이 빼곡하다. 여러 차례 들러 이미 안면을 튼 가게 주인이 문 앞에 덩그러니 선 나를 보며 난처한 웃음을 짓는다. 그러곤 아르바이트생을 불러 무어라 얘기를 전한다. 곧 아르바이트생이 내 앞에 다가와 조심스럽게 묻는다.

"테라스에도 혼자 오신 손님이 있는데 괜찮으시면 합석하시겠어요? 테라스 손님께는 오늘 예약 손님이 많아 혹시 1인 손님이 오시면 합석해야 할 수도 있다고 미리 말씀드려 놨거든요."

잠시 망설여지지만, 오늘은 왠지 꼭 이 집의 달고기 튀김을 먹고 싶은 데다가 이야기 상대가 있어도 좋을 것 같아 그러겠다고 대답한다. 곧 혼자 앉던 테라스 자리는 한 명에서 두 명으로 채워지고 예상치 못한 상황에 서로 민망해 멋쩍은 웃음을 짓다가 잠깐의 정적이 흐른다. 하지만 그것도 잠시, 이내 통성명으로 시작한 대화는 맥주 한두 잔과 함께 조금 진해진다.

나와 얼떨결에 합석하게 된 그녀의 이름은 윤희. 말을 할 때마다 나와 마주치는 맑은 눈과 얼굴에 옅게 드리운 미소, 어느 정도 허스키하면서도 또랑또랑한 톤의 목소리가 매력적이다.

"왜 제주도로 오셨어요?"

그녀의 질문에 나는 달고기 튀김을 뒤적이던 젓가락을 내려놓고 테라스 밖 마을 풍경으로 시선을 던져둔다. 낮고 하얀 담벼락들에 그려진 색색깔의 수국 그림들을 바라보며 대답한다.

"집으로 돌아갈 때 가장 아쉬웠던 여행지가 제주였어요. 제주도 참 여러 번 왔었는데 3박 4일을 있어도, 4박 5일을 있어도 항상 집 가기가 싫더라고요. 그때 집으로 돌아가면서도 꼭 여기서는 한번 살아보고 싶다는 생각이 들었어요. 마침 7월이 또 수국 제철이잖아요. 전 꽃 중에 수국을 제일 좋아하거든요."

"어머, 저도 수국을 제일 좋아해요! 이번에 종달리 온 것도 수국 마음껏 보고 싶어서였거든요. 언젠가 한달살이할 수 있는 기회가 생긴다면 꼭 종달리에서 해보고 싶어요."

"윤희 씨는 제주에 여행으로 오신 건가요?"

"아! 제 소개가 늦었네요. 저는 여행작가예요. 여행도 좋아하고 글 쓰는 것도 좋아하거든요. 좋아하는 일만 원 없이 하고 살고 있어요. 이번엔 우리나라에 있는 섬들에 대해서 써보고 싶어서 섬이란 섬은 다돌고 있어요. 그중에서 제주는 두 번째 섬이에요."

그녀가 장난스레 웃으며 한 손으로 브이 모양을 만들어 보인다. 나는 그녀의 눈이 순간적으로 반짝이는 것을 보았다. 마치 아침 햇살을

흠뻑 받아 반짝이는 투명한 유리알 같은 눈빛이다. 누군가 자신이 하는 일에 관해 이야기할 때 이토록 자신감 있고 행복해하는 모습을 처음 보는 나는 조금 당황하고 만다. 그러다 맥주 기운에 살짝 상기된 얼굴로 앞으로의 섬 여행 계획과 이번 제주 여행에서의 에피소드를 한껏 신이 난 채 풀어내는 그녀의 천진난만한 아이 같은 모습에 함께 떠나는 여행 코스를 짜는 듯 괜스레 들뜨고 만다. 자기 삶에 에너지와 행복이 충만한 사람은 이렇게 다른 사람까지도 설레게 할 수 있는 거구나 하는 걸 새삼 느낀다.

"제가 이래요. 너무 제 얘기만 늘어놨죠? 여행 얘기 시작하면 할 얘기가 계속 생각나서."

"전 얘기 듣는 거 세상에서 가장 좋아해요. 그리고 오늘 들려주신 에피소드들 하나하나 정말 재밌어요. 나중에 책으로 나오면 무조건 읽어보고 싶을 정도로요."

"그럼, 오늘 이런 우연한 만남에 대한 에피소드도 제 글에 넣어도 괜찮을까요?"

"그럼요. 오늘 얘기가 어떻게 실릴지 너무 궁금한데요?"

"이렇게 만난 것도 소중한 인연인데 연락처 공유할까요? 나중에 책 나올 때쯤 한 번 따로 연락드릴게요. 그때는 제주에 안 계실 테니 알려주시는 주소로 보내 드리려고요."

시간이 얼마 지나지 않았다고 생각했는데 어느새 가게 마감 시간이 다 되어 있음을 깨닫고 그녀와 계산대 앞에 서서 서로의 연락처를 공유한다. 가게를 나와 마을 어귀까지 함께 걸어가기로 하고 어둠이 짙게 드리운 종달리의 작은 골목길을 뚜벅뚜벅 걸어간다. 그제야 그녀가 멘 여행 배낭과 카메라가 눈에 들어온다. 다소 낡아버린 배낭끈의 실밥이 풀려 그녀가 입은 남방 끝에 닿아 걸을 때마다 요란하게 덜렁이는데도 그녀는 그런 것 따위 아랑곳하지 않는다는 듯 신이 난 발걸음으로 씩씩하게 걸어간다. 그녀의 발걸음은 앞으로도 항상 이렇게 힘차고 경쾌할 것이다. 그녀는 이제 내가 아는 사람 중에 가장 씩씩하게 걷는 사람이 되었다.

우리는 종달리 마을 초입 버스 정류장에서 이만 헤어지기로 한다. 그녀를 실은 버스가 작은 점으로 점점 사라져 갈 때까지 나는 가만히 서 그 모습을 바라보다가 이내 맛나빵집을 지나 집으로 돌아온다. 집 대문을 열자 후덥지근한 공기가 밀려든다. 그 길로 거실에 에어컨을 틀어두고 샤워를 하러 들어간다. 어느 여름날, 하루를 마무리하는 이 순간이 가장 좋다. 밖에는 시원한 에어컨을 틀어둔 채 화장실에서 따뜻한 물로 샤워한 뒤 화장실 문을 열었을 때의 그 후덥지근함과 동시에 느껴지는 서늘함.

머리를 털어내며 거실로 걸어 나와 에어컨으로 미리 식혀둔 거실의 적당히 시원해진 공기에 기분이 한껏 좋아진 나는 콧노래를 부르며 소파에 털썩 걸터앉아 지난밤 소파 옆 테이블 위 올려두었던 노트를 집어 든다. 그러다 예전에 어느 글에서 보았다가 적잖이 충격을 받고 적어두었던 한 문구를 다시 읽는다.

'다른 사람이 무슨 생각을 하는지 몰라서 불행해지는 사람은 없다. 하지만 스스로 무슨 생각을 하는지 모르면 반드시 불행해진다.'

이 짧은 두 문장을 다시 읽는 순간, 나는 아주 어린 시절의 나를 만나게 됐다. 그때의 난 글쓰기, 드라마나 영화 보기, 음악 듣기를 사랑했다. 재밌게 봤던 드라마나 영화의 시나리오를 인터넷으로 구해 그 영화, 드라마 속 OST를 들으며 밤새도록 시나리오를 읽고 또 읽었다. 감정이 북받치는 장면에서는 내가 마치 주인공이 된 듯 엉엉 따라 울기도 하고 마음에 드는 문장은 예쁜 포스트잇에 적어 노트에 붙여놓고 자주 읽었다.

읽고 읽다가 언젠가부터 나도 글을 썼다. 머릿속에만 있던 주인공들을 불러내 그들과 함께 숨 쉬고 말하고 놀았다. 그 순간만큼은 무아지경이 되어 내가 쓴 글을 읽고 또 읽고 매료되기도 하고 아쉬운 부분은 몇 날 며칠을 고민해 뜯어고치기도 했다. 그때부터 항상 나의 꿈은 작가였다. 글을 쓸 때 나는 항상 고민하고 고뇌했지만 미친 듯이 빠져들었고 충만했다. 다른 직업은 생각해 본 적도 없었고 내가 무엇을 할 때 가장 살아있다고 느끼는지를 본능적으로 알고 있었다. 그래서 내가 걷는 길은 늘 또렷하게 나 있는 직진 코스였고 그 길을 잃을 걱정은 없었다.

하지만 지금부터는 아주 흔한 대한민국 누군가의 스토리다. 나는 내가 원하는 것이 무엇인지 잘 알면서도, 동시에 항상 주변의 인정과 칭찬이 고픈 아이였다. 우리 부모님은 하나뿐인 외동딸이 어디 가서 버르장머리 없다는 소리 듣는 것을 가장 염려하였기 때문에 나는 아주 어릴 적부터 엄하게 자랐고 부모님의 기대에 부응하고 싶어서 주어진 상황에 곧잘 순응하고 순종했다. 그러나 사춘기에 접어들고 대학 진학과 장래 희망을 구체화하기 시작하며 나의 꿈은 현실과 맞닥뜨렸다. 학교에서 열렸던 백일장 대회나 교내 공모전에서 최우수상을 받아오면 부모님은 항상 기뻐하며 자랑스러워했지만 작가가 되고 싶다는 내 말에는 탐탁지 않아 했다. 국어국문학과나 문예창작과로 진학하고 싶어 했던 나와는 달리, 부모님은 교과목 중 가장 성적이 좋았던 영어 관련학과로 진학해 영어 선생님이 되거나 외국계 기업에 취업하기를 바랐다. 부모님의 응원과 인정 없이는 행복할 수 없을 것 같다는 생각과 작가로서의 삶이 밥벌이가 되지 못할 수도 있다는 불안감이 나를 옥죄었다.

좋아하는 것은 취미로 두고 우선 안정적인 직업을 가진 후 즐겨도 된다는 부모님의 말씀에 설득된 나는 결국 고등학교 3년간의 고민 끝에 영어학과로 진로를 정했다. 동기들과 곧잘 어울려 다니며 대학 생활을 즐겼고 장학금도 몇 번 받았다. 교과목 중에서도 영어를 잘했고 좋아했으니 부모님 얘기처럼 외국계 기업, 영어 선생님, 그도 아니면 영어 관련된 어떤 일이든 직업으로 삼아야지 생각했다. 하지만 그 어떤 모습으로 살고 있는 나를 상상해 봐도 밤새도록 시나리오를 읽던 그때처럼 가슴이 뛰거나 설레지 않았다. 뚜렷했던 단 하나의 길을 시야에서 거두니 사방팔방으로 뻗어져 나가는 무수히 많은 갈림길이 보였다. 그 속에서 나는 오래도록 갈팡질팡했다.

지금, 이 순간조차도 '설득된'이라는 단어를 골라낸 내가 너무 비겁하게 느껴진다. 나는 그때 용기가 없어 외면했다. 현실과 타협했다는 말, 부모님 때문에 어쩔 수 없었다는 쉬운 말 뒤에 숨어 사실은 돈벌이도 불투명한 작가라는 직업을 선택할 확신도 용기도 없이 겁먹은 나를 드러내고 싶지 않았던 것이다. 이 짧은 외면과 찰나의 포기로 나는 십 년이 넘도록 그 근처 어딘가를 헤맨 것이다.

　그때만 해도 나는 내가 무엇을 포기했는지 몰랐다. 그 후로 난 부모님의 인정을 받고 싶었고 그들을 실망하게 하기 싫었던 것뿐이라며 종종 자기 연민에 빠지곤 했다. 나를 가슴 뛰게 하던 소중한 무언가를 잃어 불안하고 초조한 마음을 쉽사리 부모님을 향한 짜증으로 토해내기도 했다. 시간이 흐를수록 내 안에 빛나던 것이 무엇인지를 더 알 수 없게 되자 그때는 부모님 탓을 했다. 난 그렇게 그때는 어쩔 수 없었다 쉽게 핑계 대며 자기 정당화를 하고, 누구나 이렇게 입에 풀칠하기 위해 자신이 좋아하는 것 한 가지쯤 외면한 채 살아갈 것이라며, 그래도 대기업에 취업했으니 조금 낫지 하고 스스로를 위안하며 흔한 K-직장인의 모습으로 지금껏 흘러가는 대로 이리저리 살아온 것이다.

　나는 제주에 오기 전까지 나의 인생 어느 지점에서 앞으로 나아가지 못하고 계속 제자리걸음을 하며 살고 있다고 생각했다. 도대체 내가 무슨 생각을 하며 사는지 알 수 없어 자주 멍했다. 가장 가깝던 나와 가장 멀어지게 되자 내 안은 깊이를 가늠할 수 없을 만큼 뻥 뚫려버리고 말았다.

　오늘 어느 여행가와의 두 시간 남짓한 만남을 통해 나는 그 언젠가 내가 살고 싶었던 모습으로도 얼마든지 자유롭고 쾌활하게 살고 있는 그녀에게서 미래의 나를 잠시 만나고 왔다. '나'의 목소리를 가장 가까이서 잘 들을 수 있는 귀가 있었기 때문에 그녀의 눈은 영락없는 아이처럼 반짝일 수 있었고 그 열망을 동력 삼아 내가 원하는 것을 이뤄내기 위한 끝없는 노력으로 하루하루에 충실하게 즐거워하며 온전히 행복할 수 있는 것이다.

물론 두 시간 남짓한 대화로 그녀의 모든 것을 나는 절대 알 수 없을 것이다. 그녀에게도 고달픔과 애환이 있을 것이다. 하지만 적어도 오늘 처음 만난 사람에게 자신이 걸어가는 길에 대해 그런 눈빛으로 이야기할 수 있다는 것만으로도 나는 어렴풋이 느낄 수 있었다. 그녀는 자신의 길을 찾았다는 것을. 자신의 길에서 폭풍우를 만나고 돌부리에 걸려 넘어지더라도 결국은 그 길을 꿋꿋이 묵묵히 또 씩씩하게 걸어 나가리라는 것을.

어쩌면 살아간다는 것은 진정한 나를 만나러 가는 아주 길고 먼 여행길이 아닐까? 내가 좋아하는 게 무엇인지, 내가 어떤 생각을 하고 있는지, 지금 나는 이대로 괜찮은지를 순간순간 끝없이 궁금해하는 것. 그리고 스스로에게 던지는 질문에 대한 답을 찾아가는 것이 이 삶을 완성해 가는 과정이 아닐까? 이 작은 질문들에 마음을 다해 대답하고 나의 목소리에 끝없이 귀 기울이다 보면 길이었다 생각하지 않았던 곳도 결국은 나만의 길이 되어 그 길이 나를 이끌어주지 않을까?

그녀의 걸음걸이를 떠올리던 나는 문득 내가 왜 제주도에 왔는지를 묻던 그녀의 질문에 다시 대답하고 싶어진다. 나는 제주도에 또 다른 나와 만나기 위해 왔다고. 누군가가 마음의 문을 열고 들어오면 그의 아주 사소한 습관과 행동, 겉으로 보이는 모든 행동을 궁금해하다가 결국엔 그 사람의 생각과 마음, 생각과 철학, 가치관까지 깊은 속에 있는 것들이 궁금해지듯 나는 이제야 내가 궁금해지기 시작했다. 나를 행복하게 만들기 위해 제주에 왔다고, 언젠가 그녀가 완성된 책 소식을 전하며 내게 연락할 때는 꼭 다시 대답해 줘야지 하고 생각한다.

제주에서 떠날 날이 이틀 앞으로 성큼 다가왔다. 하지만 내 일상은 변함없다. 일곱 시쯤 눈을 떠 어린잎 녹차 한 잔과 한쪽 면에 땅콩버터 바른 사과 반 개를 먹는다. 다만 오늘은 미리 신청해 둔 바다 요가 원데이 클래스를 들으러 가기 위해 운동복과 수건을 미리 챙겨뒀다. 거의 다 식은 녹차를 마저 마시고 마당으로 나와 차에 시동을 건다. 블루투스로 연결된 자동차의 스피커로 가장 좋아하는 노래를 틀어둔다. 이소라의 'Track 3'. 상처 입은 모든 마음을 위로하는 가사와 그 상처까지도 품어줄 듯한 가수의 따뜻한 음색이 이토록 잘 어울리는 노래가 있을까? 익숙한 멜로디를 흥얼거리다 보면 내가 종달리에 온 또 다른 이유, 수국길을 지나게 된다.

누군가 내게 가장 좋아하는 꽃을 물으면 난 1초의 망설임도 없이 수국이라 대답한다. 한 다발 커다랗게 피는 수국은 정말 딱 한 송이만으로도 화병을 가득 채운다. 서울에서 종종 꽃가게에 들러 수국 한 송이를 사와 꽃병에 꽂아두는 것만으로도 충분하다고 생각했는데 제주에서 보는 수국은 차원이 달랐다. 한 송이만으로도 가득한 수국이 해안도로 양옆으로 만개한 것을 보고 있으면 너무 아름다워서 촌스럽게도 왈칵 눈물이 날 것만 같다. 7월의 작열하는 태양과 그 태양 옆으로 앙

증맞게 뭉쳐 있는 뭉게구름 몇 개, 파란색과 하늘색의 하늘, 푸르다 못해 시린 에메랄드 색 바다와 연보라색이기도 하고 하늘색이기도 한 수국 다발들. 가장 아끼는 음악을 들으며 또 가장 좋아하는 꽃을 바라보는 일. 정말 완벽한 아침이다.

그렇게 20여 분을 달려 고즈넉한 바닷가 앞에 위치한 요가원에 도착했다. 평일 아침인 탓인지 신청자가 많이 없어 운 좋게도 나를 포함해 두 명의 참가자가 수업을 듣게 되었다. 운동복으로 옷을 갈아입고 요가 매트를 하나씩 챙겨 선생님을 따라 해변으로 향한다. 혼자서도 종종 유튜브를 틀어놓고 요가를 하곤 했다. 물론 안 쓰던 몸 곳곳의 근육들을 깨우고 정신을 집중해야 하는 수련이라 꽤 인내심이 필요한 고통스러운 과정이지만 그 과정에서 내 안의 시끄러운 소리가 고요해지고 차분해지는 경험을 여러 번 했기 때문이다.

해변 앞에 자리를 잡고 앉으니, 사방이 파도 소리다. 바위에 부딪혀 산산이 쪼개지는 파도와 바람에 실려 온 바다 냄새, 물방울들이 모두 살아있는 것처럼 느껴진다. 온전히 살아있는 나 자신에 집중해 본다. 정수리부터 손가락 마디마디, 뼈를 잇는 관절들과 그것들을 둘러싼 내 근육을 하나하나 짚어본다.

한 시간의 수련이 모두 끝날 때쯤, 사바사나를 한다. 요가에서 가장 중요한 자세 중 하나라는 사바사나는 팔다리를 벌린 채 요가 매트 위에 가만히 누워 몸을 이완시키는 것이다. 사바사나의 뜻이 '송장'이라는 것을 알게 되었을 때 나는 이 자세를 할 때마다 정말로 죽음을 맞이하는 것처럼 마음을 다했다. 그 시간이 단순한 요가 수업의 마무리 자세가 아니라 잠시 죽었다 다시 살아난다는 생각으로 모든 번뇌를 잊는 것으로 느껴졌기 때문이다. 오늘도 나는 오랜만에 죽었다가 다시 태어나는 마음이 된다. 이 전까지의 삶을 마무리하고 잠시 후 다시 태어나 새로운 삶을 살 것이다. 그런 생각으로 눈을 가만히 감고 있는데 요가 선생님의 나지막한 목소리가 들려온다.

"평화는 내 안에 존재합니다. 외부에서 찾지 마세요. 석가모니께서 하신 말씀입니다. 여러분 안에 언제나 평화가 있습니다. 불행하고 괴롭다 느껴질 때는 언제나 여러분께 있는 평화를 떠올려보세요."

한바탕 수련을 마치고 나니 금세 허기가 진다. 근처 바닷가에 커피와 당근 케이크가 맛있는 카페가 있었던 것이 생각나 곧바로 카페로 향한다. 창가에 자리를 잡고 앉아 당근 케이크 한 조각과 아이스 커피를 한 잔 시켜두고는 햇빛을 잔뜩 머금은 채 물결에 마음껏 반짝이는 윤슬을 바라본다.

이 카페 앞에는 느린 우체통이 있다. 카페에서 파는 엽서에 우표를 붙여 편지를 써 우체통에 넣으면 한 달 뒤 육지로 배달이 된다. 카운터 앞에 잔뜩 늘어서 있는 예쁜 엽서들을 구경하다가 오늘은 엄마에게 안부 전화 대신 짧은 편지를 남기기로 한다. 엄마가 신혼여행 얘기할 때 꼭 빼놓지 않던 성산 일출봉이 그려진 엽서를 골랐다.

안녕, 엄마.
나는 지금 제주도에 와있어. 며칠 전까지 퇴근길인 척 통화해 놓고 무슨 소리냐고 묻겠지?

나 사실 한 달 전에 회사에서 잘렸어. 지금까지 속여서 미안해. 너무 걱정할 것 같기도 하고 또 솔직하게 말할 용기도 없어서, 거짓말 좀 했어.

그런데 엄마. 이제는 엄마 딸 너무 걱정하지 말았으면 좋겠어. 나 이제야 숨통이 좀 트이는 것 같거든. 엄마 아빠에게 하나뿐인 딸이라 더 엄하게 키우고 기대와 걱정이 컸던 것도 잘 알아. 하지만 엄마 아빠에게 내가 하나이듯 나한테도 내가 하나뿐이라서 이제는 나랑 좀 더 친해지고 내가 하고 싶었던 일들을 하나씩 시작해 보려고 해.

엄마가 이 엽서를 받아보고 난 다음에 다시 만나면 우리 옛날얘기 말고, 나에 대한 걱정도 말고 내가 다녀온 여행에 대해서 재미있었던 얘기하자. 욕심일 수도 있겠지만 이제는 엄마 아빠의 염려보단 무조건적인 응원이 받고 싶다. 그럼, 이만 줄일게. 사랑해, 곧 만나.

엽서를 편지통에 넣고 입가에 묻은 케이크 부스러기를 닦아내며 자리에서 일어선다. 뭐 대단한 일을 한 것도 아닌데 무거운 짐을 내려둔 것처럼 후련한 기분과 함께 마음이 편안해짐을 느낀다. 아마도 내가 내 안에 있던 오늘치 평화를 찾아낸 모양이다. 서울로 돌아가 이번 여행에 대한 글을 쓰게 된다면 그 시작은 아마 엄마에게 방금 부친 저 엽서가 될 것이다.

조용하다는 표현보다 고요하다는 표현이 더 어울리는 제주에서의 마지막 날 밤이다. 처음엔 이 고요함이 무서웠던 적도 있다. 마당 앞에 설치된 갓등에 날라와 부딪혀 죽는 나방이 내는 마지막 날갯짓 소리, 각종 기계 소리가 너무나도 적나라하게 내 귀를 파고들었고 워낙 잠귀가 밝은 나는 처음 며칠 간은 이곳에서 혼자 한 달을 지낼 수 있을까 걱정하기도 했다. 하지만 이제는 이 고요함이 벌써부터 그립다. 이 고요함 덕분에 아무에게도 방해받지 않고 오로지 나와 온전한 깊은 대화를 나눌 수 있었다. 그 깊은 밤들 덕분에 나에게 있는지도 몰랐던 상처들을 들여다볼 수 있었고 그중 꽤 깊었던 상처들을 스스로 치유할 수 있었다.

자, 이제 다시 나의 친구들과 가족이 있는 곳으로 돌아갈 시간이다. 다시 돌아가도 나의 일상은 비슷할 것이다. 하지만 길다면 길고, 짧다면 짧았던 이 한 달의 삶으로 인해 나는 다시 모니터 앞에 앉아 어떤 글이든지 쓰기 시작할 것 같다.

때로 그 길로 향하는 것이 순탄하지만은 않으리라는 것도 안다. 하지만 포기하거나 쉽게 좌절하지는 않을 것이다. 그런 순간이 올 때마다 나는 모든 답과 평화가 내 안에 있음을 기억할 것이다. 너무 긴장하지 말고 어깨에 힘을 빼고 그저 온전히 나로 살아가도 괜찮다는 것이 이 친절한 섬이 내게 말없이 가르쳐준 것이다. 힘겹게 애쓰지 않아도 제 계절을 맞아 자연스레 활짝 피어나는 꽃은 모두 아름다우니까. 나도 나의 계절에 그렇게 활짝 피어날 그날까지 하루하루를 죽었다 다시 태어난 것처럼 여행하듯 소중히 살아가야지, 다짐해 본다.

연어가 된 가족

김영조

김영조 회사일로 오랜 기간 일본에서 살다 돌아오니 너무 변해버린 세태에 적응하지 못하고 양평의 조용한 마을에 숨어 살고 있는 70대 중반의 노인입니다. 일본에서 태어나고 자란 자식들은 한국생활이 힘들다고 도쿄로 돌아갔습니다. 손자 손녀들은 그 애들이 원하는 곳에서 떳떳하고 평안하게 살아갈 수 있도록 우리와는 너무 다른 일본 문화의 단면과 우리와의 차이점을 알리고 싶어 서투르지만 용기내어 가슴에 담아두었던 얘기를 하려 합니다.

단절 사회 - 서울의 이웃들

"옆집에 새로 이사 왔습니다. 시간 정하여 우리 집에서 차라도 한잔 하시죠?"

엘리베이터 앞에서 마주친 나와 비슷한 연배의 이웃에게 일본에서 하던 것처럼 전입자로서의 인사를 건넸다. 부인과 상의하여 답을 주겠다던 이웃이 완곡한 표현으로 거절 의사를 밝혀왔다. 또 다른 이웃에게 제안했던 커피 모임은 아예 대답도 듣지 못했다. 이사떡 대신 차라도 한잔하며 인사를 나누고 이웃과의 교류를 하고 싶은 마음은 아직도 변하지 않아 양평 시골 마을로 이주해 온 지금도 시도해 보고 있지만 3년 전 반려견을 키우려고 옆 동네에 땅을 사두고 전원주택을 짓기 위해 두 해 정도 앞집에 전세 살았던 젊은 신혼부부를 제외하고는 아무도 호응해 주지 않았다.

오랜만에 자리를 함께한 친구들에게 아파트 이웃 얘기를 했더니 이웃들의 반응이 당연한 일이라고 했다. 예전에는 반상회라는 모임이 있어서 이웃과도 교류하며 지냈으나 주부들 사이에서 공부 잘하는 자식 자랑이나 돈 잘 버는 남편 자랑하는 사람들이 많아져서 그 부작용으로 그나마 이웃 간 교류의 장이었던 반상회마저 없어져 버렸다는 설명과 함께 쉽지 않은 일이니 아예 포기하라는 조언도 해 주었다.

일본 국내에서만 여섯 곳을 옮겨 다니며 생활했던 내가 이사 후 맨 처음 한 일은 맨션(일본에서는 아파트와 맨션은 다른 주택 형태이고 우리나라의 아파트 형태는 맨션으로 분류된다) 아래층 주민과 같은 층에 사는 주민들에게 인사를 하러 가는 일이었다. 아래층 주민에게는 아이들 때문에 생길지도 모를 층간 소음에 대한 양해를 구함과 함께 가족 구성원에 대한 간단한 소개와 내가 한국 사람인 점도 함께 밝힌다. 같은 층 주민에게는 새로운 곳에서의 생활에 익숙해질 때까지 잘 부탁드린다는 인사와 함께 간단한 가족 설명도 곁들인다. 물론 방문 시에는 받아서 부담되지 않을 작은 선물을 갖고 간다. 대부분의 경우 며칠 후 상대방으로부터 함께 차를 마시자는 연락이 오고 자연히 아이들 얘기와 맨션 생활에서 지켜야 할 사항도 듣고 자치 관리 맨션의 경우에는 관리조합 이사회의 선임 순번과 함께 맡아야 할 담당 업무 종류에 대한 설명을 듣기도 한다. 지진 발생 시 대피 방법과 고령자 대피의 도움이 필요한 호수에 대한 정보를 알려 줄 때도 있다. 간혹 개인적으로 한국에 대한 관심으로 한국어를 배우고 있다는 이웃도 알게 되고 우리 아들과 같은 나이의 자식을 가진 부모들과 친하게 되어 특별한 사이로 발전하게 된 경우도 있었다.

일본 사회에서의 이웃은 친구로서의 관계도 되고 긴급 시에는 서로

긴급 구조대 역할도 대신해 주는 꼭 필요한 존재이기 때문에 가깝게 지내며 이웃사촌 같은 관계를 유지하는 게 보통이다. 요즈음 도쿄나 오사카 같은 대도시의 임대 전문 맨션이나 대규모 공동주택은 우리나라처럼 전문 관리회사에 관리를 위탁하는 경우가 많고 맞벌이 부부 입주민이 많아져 상호 간의 교류는 많이 줄었다고 하지만 대다수의 맨션이나 단독 주택 동네에는 초나이카이(町内会)라는 모임을 통하여 자치 방범대원, 분리수거 쓰레기 담당 등 지역 공동체의 필요한 역할을 순번제로 수행하며 이웃 간의 교류를 이어 가고 있다. 둘째 녀석은 도쿄의 단독 주택에 살고 있는데 가끔 현관문 앞에 분리수거용 박스가 쌓여 있다. 그달 한 달 동안은 그 동네 분리 수거 쓰레기 담당 일을 하는 것이다. 같은 맨션의 엘리베이터 안에서 만나는 사람이나 동네 골목에서 만나는 사람끼리 자연스럽게 서로 인사를 나누거나 담소하는 모습을 자주 볼 수 있는 건 이런 배경이 있기 때문이다.

한국에 돌아와 가깝게 있는 이웃과의 교류가 끊어지니 자연히 학창 시절 친구들이나 같은 회사에 다녔던 동료들과의 만남이 가장 흔한 모임이 되었다. 과거의 인연으로 만나는 모임의 특징은 옛날이야기에서 시작되어 그동안 만날 수 없을 때 있었던 친구들 이야기, 고생 끝에 이루어 낸 자신의 성공 신화, 그리고 많은 경우 자식 자랑과 살고 있는 아파트 가격 이야기로 끝난다. 그리고 빠지지 않는 게 자신이 만든 사회생활에서의 인적 네트워크의 자랑이다. 유명 대학 병원의 의사, 이름만 대면 알 수 있는 로펌의 변호사, 언론사의 저명인사 등 내가 갖고 있지 않거나 내게는 별로 흥미 없는 화제로 시간을 보내게 된다. 한국 사회에서 살아가려면 꼭 필요하다는 조언까지 하면서 기회가 되면 소개해 주겠다는 친절한 친구도 있었다. 얼마 남지 않은 인생의 끝 무렵에 좀 더 다른 화제로 삶의 의미를 나눌 수 있는 상대가 주위에 없다는 현실이 가끔 깊은 산속에 홀로 서있는 듯한 고립감을 느끼게 했다.

다시 일본으로 가버린 두 아들

큰 녀석이 군대 복무를 마치고 집에 돌아오자, 일본으로 돌아가겠다고 했다. 일본에서 태어나 그곳에서 초.중.고를 졸업한 녀석을 훈련소로 보낼 때는 부모로서 무척 불안했었다. 무사히 군대 생활을 마쳤다는 안도감에 기뻐하고 있었는데 갑작스러운 출국 선언에 깜짝 놀랐다.

"가더라도 남은 학년은 마치고 졸업장은 받고 가야지"

아무리 집에서 한글을 가르치고 한국말로 생활했다고 해도 일본어보다는 서툰 것 같아 1년 정도 더 한국 사회에 적응하고 입대하는 게 나을 것 같았다. 원래는 2학년 마친 후 가려던 군대를 3학년을 마치고 보냈는데 졸업도 하지 않고 일본으로 돌아가겠다고 하니 어이가 없었다. 자기가 하려고 하는 일은 대학 졸업 자격도 필요 없는 분야라고 했다. 사회생활 하려면 대학 졸업장이 필요한 곳이 많으니 1년만 더 학교에 다닌 후에 졸업하라는 나의 설득 작업은 예상외의 방향으로 튀고 있었다.

"다녀보니 아빠가 얘기한 것처럼 K 대학이 그렇게 좋은 학교도 아니었어. 그 학교 졸업했다고 어디 가서 자랑스럽게 얘기할 마음도 안 생겨"

나는 아들이 졸업 후에 취업이 용이하고 이름만으로도 명문이라는 평가를 받는 대학교에 가기를 희망했고 다행히 원하던 학교에 입학하여 안도하고 있었는데 전혀 뜻밖의 이유로 자퇴를 선언했다. 지금 생각하면 아들은 더 답답한 심정으로 나를 원망하고 있었을지도 모른다.

초.중.고교를 일본 학교에 보낼 때는 인성 교육을 중시하며 훌륭한 사회인으로 키운다는 당시의 일본 교육 방침에 동의했다. 내가 학교 생활할 때는 배워 본 적이 없는 수영이나 악기 연주 등 교육 내용의 다양함이 평생을 살아가는 과정에서 훨씬 정신적으로 풍요로운 삶을 살수 있을 거라는 판단도 했다. 물론 아내도 같은 생각이었고 해외 장기 거주자에 대한 특례 입학 제도로 쉽게 한국의 대학에 입학할 수 있다는 기대감도 있었기에 일본 교육을 선택했다는 점도 부정하기 힘든 사실이었다. 그리고 한국 국적의 남자라면 누구나 마쳐야 하는 병역 의무의 중요성은 어릴 적부터 아이들에게 주입했다. 한국어 공부를 열심히 해야 하는 이유도 수시로 강조했던 사항이었다. 그리고 지금은 많이 나아졌지만, 일본인들의 한국인에 대한 인식이 그리 좋은 것만은 아니어서 한국인으로서 부끄러운 행동을 하면 안 된다는 점을 많이 강조했던 걸로 기억한다. 도중에 아들의 의견을 들어 본 기억이 없고 특별히 아들도 내 의견에 반대했던 적도 없었던 것 같다. 한국의 교육 현실이나 한국 사회의 실정을 모르고 있었고 일본의 학교생활에 잘 적응하고 있었기 때문이었을 것으로 생각된다.

내가 대학을 졸업할 당시 우리나라는 국가 주도의 경제 개발 계획이 한창 진행 중이던 시기여서 졸업하기 전에 여러 곳의 입사 시험에 응시하여 가고 싶은 회사를 선택할 수 있는 상황이었다. 어릴 적부터 가난한 나라에서 태어난 것을 원망하며 미국처럼 부유하고 풍요로운 나라에 가서 살고 싶었던 나는 당시 일본의 종합상사 제도를 모방하여 우리나라에도 만들기 시작한 종합 무역상사를 택하여 입사했다. 신문의 모집 공고에 게재된 해외지사 네트워크 지도를 보며 마치 곧 해외 근무라도 시작할 것 같은 기분에 들떴던 것 같다.

깊은 생각 없이 원하고 계획하던 일이 쉽게 이루어진 탓이었을까 내가 생각하고 내리는 판단은 틀림이 없다는 오만함이 아들의 장래를 내 마음대로 재단하고 강요했던 것 같아 요즈음 큰 녀석에게는 미안한 마음뿐이다. 잦은 전학과 새로운 환경에서 적응하느라고 정신적으로 힘들었던 과정은 생각하지도 못했다. 한국의 와세다 대학 같은 곳이라고 강력하게 추천했던 대학교 입학은 결과적으로 한국을 떠나게 만든 실마리가 되어 버린 꼴이 되었다.

아들은 제한된 경쟁 속에서 치러진 시험에서 K 대학교에 입학했고 익숙하지 않은 환경 속에서도 열심히 학교생활을 하고 있어서 잘 적응해 나가고 있다고만 생각했다. 그리고 한일 월드컵 응원 열기가 식어갈 무렵 아들은 학교에 휴학계를 내고 논산 훈련소에 입소했다. 대한민국의 남자로서 군대는 역경을 이겨내는 힘을 키울 좋은 기회이며 향후 사회생활에도 큰 도움이 될 것이라고 격려했다. 입대 전에 건넸던 나의 조언은 제대 후 한국 사회에서 가장 많이 바뀌고 개선되어야 할 집단이 군대라는 말로 되돌아왔다. 내가 아들을 속인 꼴이 되어 버렸다.

그리고 아들은 대학교 생활에서 겪었던 일들을 처음으로 털어 놓았다. 고교 시절 공부한다고 고생했던 이야기를 늘어놓으며 특례로 입학한 자신에게 비아냥거리는 말투로 조롱하는 친구도 있었다고 했다. 처음에는 쉽게 입학한 게 미안하기도 했다고 했다. 막걸리 마시며 '민족 대학' 운운할 때는 가슴 뭉클함도 느꼈다고 했다. 그런데 지금은 전혀 그런 생각은 들지 않고 오히려 대학교까지 일본에서 마치고 군대를 갔더라면 오히려 한국에서 적응하기 쉬웠을지도 모른다는 이야기도 했다.

입대 전에 있었던 동아리 총무 시절의 경험담을 들으면서 나는 점점 큰 놈의 일본행 선언을 추인하고 있었다.

동아리 운영이 자치적이어서 서로 맡은 일을 해 줘야 함께 꾸려 갈 수 있는데 멤버 들이 약속한 날 해 오기로 한 개인별 과제를 해 오지 않고는 못하게 된 변명을 하거나 뻔히 아는 거짓말로 둘러대는 걸 보면서 아주 혼란스러웠다고 했다. 당시의 충격은 군대 생활을 하면서 더욱 커지고 다른 환경에서 또 같은 일을 겪으며 살아갈 자신이 없어져서 제대만 하면 일본으로 돌아갈 결심을 하게 되었다고 했다.

일본 생활에도 대학 졸업장은 여러 용도로 필요하다고 설득하며 1년만 더 다녀서 졸업한 후에 가라는 타협안을 제시했다. 일 년 후 졸업

시험이 끝나고 학위 수여식에도 참석하지 않고 아들은 일본행 비행기에 올랐다

큰 놈이 일본으로 떠나고 난 뒤 작은 녀석은 무사히 군 복무와 학창 생활을 마치고 서울에서 직장 생활을 시작했다. 아들 하나라도 우리 부부 곁에 있어서 다행으로 생각했다. 마침 우리 부부에게 다가온 한국에서의 현실적인 문제로 바쁜 시간을 보내며 각자의 생활에 충실히 하고 있었다. 그런데 3년 정도 직장 생활 잘하던 둘째 녀석이 어느 주말 저녁에 자기도 일본으로 가서 살면 안 되냐고 물어 왔다. 그동안 귀국하여 열심히 노력하며 잘 적응해 왔지만, 한국에서 사귀게 된 친구들이나 직장 동료들이 30세가 가까워지니 만날 때마다 나누는 대화의 대부분이 빨리 돈을 모아서 강남에 아파트 사야 결혼할 수 있고 재테크를 잘해야 좋은 차를 탄다는 둥 자기는 생각할 수도 없는 숫자나 관심도 없는 화제에 소외감과 이질감이 느껴져 견디기 힘들다고 했다. 그리고 떠날 결심을 하게 된 결정적인 계기는 회사 업무 중에 팀장 지시로 처리했던 업무에 문제가 생기자, 본부장의 질책이 자신에게 돌아오고 뒤늦게 팀장이 본부장에게 허위 보고를 한 사실을 알게 되어 더이상 회사에 다니기 싫다는 얘기였다. 6개월쯤 후에 둘째도 일본에 직장을 구했고 2014년 벚꽃이 한창일 때 도쿄로 떠나 버렸다.

일본에 대한 오해와 대를 이은 인연의 시작

회사에서 도쿄 지사 발령을 낸다고 통보해 왔을 때 나는 회사를 그만둘 생각까지 하며 반발했다. 일본 담당 경험도 없었고 일본어도 모른다는 이유도 있었지만, 속내는 일본이 싫었던 게 가장 큰 이유였고 그 배경에는 반일 교육의 영향과 당시 쪽발이라는 단어로 대변되는 일본인에 대한 혐오감이었던 것으로 기억된다. 회사의 급박한 상황과 상사들의 회유로 등 떠밀려 부임하게 된 일본에서의 주재 생활은 반전과 놀람의 연속이었다. 누군가가 나를 속였다는 생각이 들 때도 있었지만 우리가 아는 일본에 대한 지식이 단편적이거나 곡해된 것이 많았다는 게 솔직한 심정이었다.

우스운 여담이지만 당시 해외 출장 명령이나 주재원 파견 인사 발령에는 외부 기관에서 실시하는 영어 시험에 합격해야 하는 조건이 있었다. 당시 베네룩스 3국과 영국 담당이었던 나는 1979년 8월에 열리는 파리 전시회에 참가하기 위해 시험에 응시했다. 당시 시행한 지 얼마 되지 않은 제도여서인지 나는 유일한 합격자였다. 도쿄 지사의 주재원이 급환으로 귀국하게 되자 나의 첫 유럽 출장은 도쿄 지사 주재로 바뀌게 되어 일본과 긴 인연이 시작되었다.

일본에 대해 이해하려면 에도 시대의 (1603년~1868년 도쿠가와 막부시대) 생활상을 이해하는 것이 가장 좋은 방법이라고 생각한다. 당시의 제도나 풍습이 지금도 일본의 관습이나 문화 속에 많이 남아 있고 그들의 현재 생활에도 많은 영향을 주고 있기 때문이다. 사무라이에 대한 오해도 풀릴 수 있고 이코노믹 애니멀이라는 비하 발언을 들을 수밖에 없었던 그들만의 환경도 이해할 수 있기 때문이다.

헤이안 시대 중엽인 11세기경 천황 가의 과다한 징세로 일반 백성들의 생활이 곤경에 빠졌다. 일부 무사 계급 중에서 백성들을 이끌고 천황의 지배력이 미치지 않는 지방으로 도피한 이들이 있었다. 경작지를 만들고 함께 생활하며 백성들을 보호하고, 농사에 필요한 수로나 방풍림 등을 만드는 역할은 하였던 무사들이 바로 사무라이의 기원이다. 그들은 백성들을 위해 희생하고 황무지를 개척하는 데 필요한 힘든 일을 도맡아 하는 지배계급이었다. 또한 도덕적으로 백성으로부터 진심으로 존경을 받았다. 그들의 정신을 사무라이 정신으로 칭하며 일본인의 정신세계 일부가 되었다. 당시 무사 들이 직접 만든 일종의 지침서를 보면 역경을 이겨내는 정신이나 갖추어야 할 품격 등이 잘 나타나 있는데 인간 예술품이라는 칭송을 받으며 지금도 일본인의 자세에 큰 영향을 주고 있다.

태풍이나 지진 같은 자연재해가 많아 하루아침에 살던 집이 없어져도 꿋꿋이 생활하며 다시 일어서는 그들의 모습에는 경외심이 들기도 한다. 사무라이의 품격을 닮고자 하는 그들은 다른 사람 앞에서 쉽게 감정 표현을 하지 않고 조용한 말투로 의사 표현하며 인내심을 사람의 주요한 덕목 중의 하나로 생각한다. 그리고 감정대로 살아가는 동물들과 이성을 가진 인간은 그 행동이 달라야 하며 감정에 치우친 행동이나 행위를 하는 어리석은 사람에 대한 질책을 '바카야로'라는 표현으로 비하했는데 바카라는 한자가 말과 사슴(馬鹿)으로 표기되는 점을 보면 이성적인 판단으로 절제된 행동을 추구하려는 일본인들의 자세가 엿보인다.

일본어를 배우며 간혹 의아한 생각이 들 때가 있었는데 사람을 상품(조우힌 上品) 하품(게힌 下品)으로 구분하여 표현할 때는 사람에게 등급을 매기다니 이럴 수가 있나 싶기도 했다. 그들은 품위 있는 사람이 되고 싶어 하고 가정에서는 어릴 적부터 품위 있는 사람의 말투를 연습하며 몸에 익힌다. 사이테이(最低)라는 표현 역시 일본인 들이 말다툼할 때 자주 사용하는 단어인데 인간 품격의 등급으로 상대를 비난할 때 사용하는 말이다.

우리나라를 비롯한 많은 세계인 들이 일본 국민들의 집단주의 경향을 지적하며 비난성 발언을 하기도 하는데 국민들이 국가정책에 순종하는 경향은 옛날부터 내려오는 지배 계급인 사무라이에 대한 깊은 신뢰감에서 기인하였다고 보는 시선도 있음을 알아 둘 필요는 있다.

아들을 학교에 보내며 알게 된 일본이라는 나라

아들 녀석 들이 일본의 초등학교에 입학하여 학교에 다니면서부터 그들의 교육 제도나 그 내용, 그리고 교육 방법 등을 알게 되었고 우리가 몰랐던 일본 사회의 많은 현상과 그들의 생활상을 이해할 수 있게 되었다.

가끔 둘째 아들의 담임 선생으로부터 아내가 전화를 받곤 했는데 학교 생활에서 발견한 아들의 잘못을 고치기 위해서 가정에서 부모님들도 같이 노력해 달라는 부탁과 함께 아들의 잘못을 알려주는 내용이었다. '잘못을 지적하면 변명을 자주 한다. 뒷정리를 잘 하지 못한다'는 등의 내용이었던 걸로 기억한다. 초등 교육 6년을 끝내면 줄 서기, 보행 규칙 준수 등의 공공 규칙 지키기는 물론 거짓말하지 않기, 잘못에 대해 변명하지 않기, 약속 지키기 등 타인에게 불편함이나 피해를 주는 행동을 하지 않게 하는 사회인으로서의 기본 소양을 가르치는 게 초등학교 교육의 목표인 것으로 이해되었다. 초등 교육에서 도덕적인 선악의 판단과 다른 사람과 함께 살아가는 방법을 모두 익히게 한다고 이해하면 거의 틀림이 없다. 일본에서 대지진이 일어나거나 큰 재해를 입었을 때 질서 정연하게 줄을 서서 택시를 기다리거나 재난 구호품을 받아 가는 모습에 세계인이 감탄하는데 이런 자세는 모두 초등교육 과정에서 만들어진다고 보면 된다.

초등학교 졸업반이 되면 일본의 많은 학교가 수학여행을 떠난다. 그런데 여행 계획부터 여행이 끝난 후의 반성회까지 학생들 스스로 의논하여 결정하고 실행한다. 아들의 계획서를 잠시 엿볼 기회가 있었는데 왕복 교통수단에서의 좌석 별로 앉는 학생의 이름까지 표시되어 있고 여행 목적지에서 방문할 장소별로 조를 만들어 방문 장소 선정 이유, 방문 목적과 사전 준비 사항 등을 만들어 둔 것을 보고 속으로 약간 놀랐던 기억이 있다. 준비 과정에서 토론도 하고 토론 과정을 통하여 자신이 가고 싶은 곳을 선택한다는 이야기는 아들로부터 뒷날 들었다. 스스로 결정하게 하여 그 결과에 대하여 책임감을 느끼게 하고 잘못을 남 탓으로 돌리지 않게 하며 재발 방지 방안까지 훈련시키는 반성회 기록은 초등학교 6년생 수준을 넘었다는 생각이 들기도 했다. 많은 일본인이 잘못된 결과에 대하여 먼저 자기 잘못을 인정하는 성향은 자기 책임에 대한 인식 훈련이 만들었을 수 있다는 생각이 들었다.

학교에서 배운 수영 실력으로 접영까지 하는 모습에 내심 놀라며 대견스러워하기도 했다. 주위를 의식하며 자신을 조화시키는 능력은 좋아하는 악기 연주법을 가르쳐 함께 협연하는 연주회를 통하여 교육하고 있었다. 첫째는 첼로, 둘째는 플루트를 선택했는데 둘째는 오케스트라에서 독주를 맡을 수준까지 발전하기도 했다. 일본인들이 서로 간의 의견 조정 능력이 탁월한 이유의 한 단면을 알 것 같기도 했다. 한 개인으로서 그리고 훌륭한 사회인으로 성장하고 있는 모습에 안도하고 있었다.

중1 때의 꿈을 버리지 않았던 아들

대학 생활 마지막 남은 1년 동안 아들은 몹시 바쁜 듯이 생활했다. 졸업에 필요한 준비로 바쁜가 했더니 일본에도 두어 차례 다녀오기도 했고 일본에서 누군가가 찾아와서 강원도 지방을 함께 여행하기도 했다. 졸업 조건에 토익 점수가 반영된다고 투덜거리며 영어 공부에 많은 시간을 할애해야 한다는 푸념을 들었던 기억도 있다.

졸업 시험이 끝난 후 아들은 곧 도쿄로 갈 예정이라며 일본에서의 계획을 털어 놓기 시작했다. 일본 연예 기획사의 오디션에 참가하여 성우 부분 최종 합격자 2명에 선발되었다는 얘기로 시작하여 자리 잡힐 때까지 일본에서의 생활비는 한국 드라마 자막 제작회사에서 계약직으로 일하며 해결할 수 있게 되었으니 안심하라는 얘기까지 해 주었다.

"1,546명의 지원자 중에서 선발되었으니 너무 걱정하지 마"

결코 쉬운 길이 아니고 실패할 확률이 높은 업종이라는 설명과 함께 실패했을 때 진로를 바꾸기 힘들다는 우려를 표했더니 그 동안 서울에서 꽤 많은 금액의 돈도 모았고 일본은 노력만 하면 생활하기 힘든 사회는 아니라고 오히려 나를 설득했다. 강남역 부근의 생맥주 홀에서 1년 정도 아르바이트를 하며 용돈을 번 적은 있었지만 큰 금액은 아니라는 생각이 들어 길 떠나는 아들에게 조금이라도 쥐여 주고 싶은 마음에 갖고 있는 금액을 물었더니 그 동안 틈틈이 일본에서 취재하러 한국에 오는 언론사 기자 들과 동행하며 우리나라 사람들과의 인터뷰 내용을 정리하는 일을 했다고 했다. 학생 신분으로는 고액의 일당을 받았다는 얘기로 모아둔 금액에 대한 질문의 대답을 대신했다.

아들이 떠난 후 아들 방 책상 위에는 필요할 때 쓰라고 내가 쥐여 주었던 돈봉투가 놓여 있었다.

"아빠, 나 이제 27살이야. 더 이상 나를 부끄럽게 하지 마"

아들이 함께 넣어 둔 메모를 읽으며 부모 마음도 모른다는 야속함과 함께 믿음직스럽게도 느껴졌다. 아들의 앞날을 응원하기로 했다.

연습생 생활 2년을 마치고 아들은 기획사의 주선으로 짧은 대사의 더빙부터 시작하여 성우 활동을 시작했다고 했다, 그리고 겨울 연가로 시작된 한류 열풍으로 드라마 자막 작업도 많이 늘어서 조그만 원룸에서 내가 가면 따로 머물 수 있는 맨션으로 이사도 하여 대견스러운 마음이 들기도 했다.

어느 날 전화로 NHK의 1시간짜리 다큐멘터리 방송 내레이션 더빙을 마쳤다는 소식을 알려왔고 지상파가 끝나면 BS 채널에서도 방영하니 꼭 보라고 하며 방송 시간을 알려 주었다. 첫 작품을 했다는 기쁨과 걱정하는 부모를 안심시키려는 마음이 읽혔지만, 당시 우리 집 위성 방송용 접시 안테나로는 볼 수 없으니 녹화해 두면 다음에 도쿄에서 보겠다고 대답하며 축하해 주었다. 그런데 나는 아직도 그 비디오를 보지 못하고 있다.

퇴임을 앞둔 대통령이 파일럿 점퍼 모습으로 독도의 헬리콥터 착륙장에 내리는 장면의 저녁 뉴스를 보며 앞으로 펼쳐질 한일 관계의 악영향에 걱정이 앞섰다. 오랜 분쟁에서 우리가 이기는 방법은 독도를 영토 문제화하는 일본의 태도에 말려들지 않는 것이 실효 지배하는 우리나라의 가장 좋은 전략이라는 것이 일본의 학자를 포함한 많은 전문가들의 견해였기 때문이었다. 대통령이 독도를 방문한 건 처음이었고 이것은 결국 일본을 돕는 꼴이 되었다. 결정타는 며칠 후에 찾아왔다.

대통령이 참석한 어느 모임에서 독도 방문과 새로이 제기된 위안부 문제에 대한 견해를 질문한 기자의 질문에 대하여 식민지 시대의 통치에 대한 반성을 촉구하며 '천황이 무릎 꿇고 사죄하면 몰라도'라는 말이 들어간 대답을 했다는 보도를 접했다. 아들의 앞날에 미칠 영향을 먼저 생각했다. 우리는 어릴 때 잘못을 저지르면 교실 복도나 가정에서 손들고 꿇어 앉아 본 경험이 있어서 쉽게 얘기하고 흘려들을지 몰라도 일본인 들은 그렇지 않다. 도게자(土下座)라는 단어가 땅바닥에 꿇어 앉는다는 말인데 일본인들은 전국 시대 때 패장이 적장 앞에 목을 쳐 달라고 꿇어 앉는 모습을 먼저 떠 올린다. 더욱이 천황이라는 존재는 아직도 종교적인 차원에서 경외해하는 일본인들이 다수 생존 해 있는데 신처럼 받드는 천황을 두고 한국의 대통령 앞에 무릎을 꿇으라니 정말 일본인의 입장에서는 해서는 안될 금기어를 두 개나 뱉어버린 꼴이 되었다. 도쿄의 많은 사람들이 새해 첫날 새벽에 그 해의 만사형통을 메이지 천황의 위패를 안치해 둔 메이지 진구를 찾아가서 빌고 있다.

다음날 일본에서는 예상대로 난리가 났다. 혐한 데모가 대도시에서 일어났다. 우리나라에서는 보도되지 않아 우리 국민들은 잘 모르지만, 수십 년을 그 곳에서 태어나 생활해 왔던 재일 동포는 물론 신오쿠보 지역에 정착하여 일본에서 새로운 사업으로 막 자리를 잡아가며 희망에 찬 앞날을 꿈꾸던 우리나라의 젊은이들이 불안과 두려움에 떨었다. 많은 가게가 폐업했고 젊은이들은 그곳을 떠났다. 최근 K-POP 열풍으로 신오쿠보는 다시 일본의 젊은이가 모이는 장소로 다시 되살아나고 있어서 그나마 다행이지만 일본에 사는 한국인들이 최근에 고국으로부터 날아온 잘못된 메시지에 가장 큰 피해를 겪은 사건이었다.

우리 아들에게도 그 발언 이후 방송국이나 프로그램 제작사로부터의 오디션 제안은 한 건도 오지 않았고 담당 매니저도 가끔 안부 전화를 걸어오는 사이로 바뀌어 갔다. 처음에 아들은 인정하지 않으려고 했다. 상황 설명과 어떠한 설득 작업도 소용이 없었다. 자기 잘못이 아닌 일로 입어야 하는 피해에 대하여 납득할 수 없음을 주장하며 억울해하고 있었다.

한일 양국 간의 위안부 합의서 파기 선언이 있고 난 뒤 아들은 자막 작업을 할 수 있는 회사에 정규직원으로 취업했고 방 안에 있던 발성 연습용 마이크를 치워 버렸다.

아들의 좌절이 불러온 원인을 생각하다 중학교 입학 후 얼마 지나지 않아 장래 희망 직업에 대하여 작문해야 하는데 무엇을 선택해야 할지 망설여진다며 조언을 구해왔던 일이 생각났다. 보람을 느낄 수 있고 자기가 좋아하는 일이라는 조건으로 학교에서 배운 여러 가지 직업 중에서는 고르기 힘들다는 이야기였다. 소방서 구급 대원, 기관차 운전사, 회사원, 경찰, 요리사, 의사, 구청 공무원, 변호사, 은행원, 스포츠 선수 등 주위에서 쉽게 볼 수 있는 직종을 예시로 들며 본인의 선택과 그 사유를 글로 적어야 한다고 했다. 학교에서는 직업별 업무 내용과 함께 살아가는 사람들에게 어떠한 기여를 하는지를 배웠고 주요 직종의 현장도 가 보았다고 했다.

본인이 플라스틱 모델로 로봇 만들기를 좋아하고 어릴 적에 선발되어 경험해 봤던 동화연극 주인공 역할이 재미있었다는 이야기를 듣고 플라스틱 모델 제작하는 회사에서 일하는 것도 좋으니 회사원을 선택하든지 연극배우로 사람들을 즐겁게 해 줄 수 있는 배우를 선택해도 된다고 답해 주었다. 성장하면서 갖게 되는 흥미도 바뀌고 세상 물정을 알게 되면 희망 직업도 바뀔 것이니 크게 신경 쓰지 않고 대답했던 것 같다.

그런데 많은 학생 들이 어릴 적 희망했던 장래 직업을 실제로 그대로 선택하는 경우가 많았다. 가업을 이어야 하는 집에서 태어나면 대부분 선대의 직업을 물려받게 되고 어릴 적 관심 분야에 대하여 한번 장래의 희망으로 기록해 본 경험이 그 분야에 대한 지속적인 관심으로 이어지는 것처럼 보였다. 그리고 또 다른 측면의 이유는 직업 결정 기준을 좋아하는 일을 하며 느끼는 보람에 둔다는 점과 모든 직업은 사회에 꼭 필요한 역할을 하므로 직업에 대한 귀천 의식이 크게 없다는 점이라고 생각된다. 전국 시대 때부터 지방의 번주가 성을 지으면 사무라이 계급 들이 번 내의 관리 역할을 수행하고 그 번에 속하는 백성들에게 생활에 필요한 생산 활동을 수행하게 하였는데 그것이 그들의 직업으로 되었고 모든 백성을 평등하게 대하여 그들이 주거하는 집의 크기도 같게 하였다. 오래된 도시의 주소를 보면 기와장이 마을, 농사꾼 마을, 부채 장인 마을 등 직업별로 모여 살던 동네 이름이 아직도 남아 있기도 하다. 번 내 생활에 꼭 필요한 물건을 만드는 일은 일에 대한 자부심을 느끼게 하고 대를 이은 가업으로 이어지는 경우가 많았다. 제약회사에 근무하는 우리 며느리 친정집 가족 4명은 모두 약대 출신의 약사이다.

내가 오사카에 근무할 당시 내가 살던 집 근처에 스시집이 하나 있었다. 애들 방학 때 아내가 애들과 함께 한국에 다니러 가고 나면 종종 저녁 식사를 하러 혼자서 들리곤 했던 집이다. 어느 날 퇴근길에 들렀더니 마침 그 동네 소학교 동창생들 모임이 있었다. 약속 시간이 이미 지났는데 아직 오지 않은 친구가 있었던 모양이었다. 늦겠다는 연락을 받은 친구가 지각하는 동창생이 최근에 일이 많아져서 무척 바쁘다는 설명을 대신해 주었다. 이미 모인 친구들의 옷차림을 보니 정장 차림의 회사원인 듯한 사람도 있었고 캐주얼 복장을 선생님 같은 인물도 있었는데 그들의 말투와 호칭에서 매우 친한 사이임을 알 수 있다. 조금 있다가 나타난 친구는 주택 건축 현장에서 문제가 생겨 해결하고 오느라고 늦었다며 미안해하며 자리에 앉았다. 복장을 보니 관리자가 아닌 건물의 고소 작업에 필요한 비계 설치 전문 작업자였다. 현장을 마치고 서둘러서 온 탓인지 작업복 차림으로 신발만 바꿔 신고 온 듯했다. 오랜만에 만난 듯한 친구들의 대화 내용을 들으니, 타지에서 생활하는 동창생의 근황은 물론 세상 돌아가는 이야기, 자신의 직업에 관한 이야기는 치과 의사로 보이는 이가 치아 불편을 호소하는 친구의 질문에 대답하며 들려주기도 했다. 최근의 비계 부품이 작업하기 편리하게 개선되어 일이 많이 수월해졌다며 처음 비계공 일을 시작했을 때의 고생을 얘기할 때는 주위 친구들 모두 자기 일처럼 진지하게 경청하고 있었다.

부러웠다. 40여 년 전부터 인연을 맺은 친구들이 변함없이 그렇게 만나 격의 없이 대화를 나누는 분위기가 부러웠고 타인의 직업에 대한 관심과 존중, 그리고 자신이 하는 일에 대한 자부심이 부러웠다.

그 일이 있고 난 뒤 나는 자주 그 집에 들러 처음 만난 이웃들과 얘기를 나누며 그들과 어울렸다. 동네 스시집 긴샤(金車)는 야마다라는 동네의 사랑방 같은 곳이었다. 긴샤의 주인장은 스시를 만들며 손님들과의 대화를 주관하는 사회자 같은 존재였다.

둘째의 결혼- 일본 며느리를 맞이하다

회사를 일본으로 옮긴 둘째는 비행기 타고 전국을 다니며 일하는 아빠의 모습이 멋있게 보인다며 일찍이 장래 희망을 회사원으로 정했고 지금도 내가 근무했던 회사와 비슷한 직종의 회사에서 유사한 업무를 보며 사회생활을 하고 있다.

도쿄의 회사로 전직한 둘째가 결혼할 상대를 데리고 서울에 인사하러 온다는 연락이 왔을 때는 많이 긴장도 했고 걱정도 했다. 서로 좋아하는 사이라면 혼례를 올리고 며느리로 맞이해야 하지만 한국과는 다른 예식의 절차와 결혼 문화로 예상되는 문제를 어떻게 협의해야 할지 걱정이 앞섰다.

일본의 관혼상제의 예식은 동네 신사에서 치른다. 결혼은 신사에서 가족들만 모여 식을 올리고 일반 하객은 호텔이나 행사를 할 수 있는 공공 회관으로 초대하여 축하연을 여는 것이 일반적이다. 오랜 일본 생활에서 피로연이라는 결혼 축하장에는 많이 가 보았지만, 신사에는 신전 앞까지 가 본 적이 없어서 내심 결혼식은 서울에서 올렸으면 싶었다. 결혼식을 올리기 전의 절차도 우리와 다른 점이 많아서 어떻게 하면 좋을지를 몰라서 일본에 사는 친구에게 미리 조언을 구했다.

지금은 많이 바뀌어 결혼 당사자의 합의로 결혼식만 하고 피로연을 하지 않는 경우도 있고 직계 가족들만 하와이 같은 관광지로 해외여행을 가서 현지 결혼식 전용 교회에서 결혼 기념사진 촬영만으로 식을 대신하기도 한다고 했다. 구청에 혼인 신고만 하기도 하지만 양가 부모들의 주관하에 혼례를 올리게 되면 결혼식과 피로연을 하게 된다고 했다. 그리고 여자는 결혼하면 남자의 성으로 이름이 바뀌게 되므로 자식으로서 마지막 행사는 여자 집의 의견을 존중한다고 했다.

양가 부모가 대면하여 우리나라의 예단 같은 예물을 주고받으며 가정생활에 필요한 가재도구를 상징하는 전통 물품을 앞에 두고 술잔을 교환하는 유이노우(結納)라는 절차와 신사 결혼식은 며느리의 본가 가까운 신사에서 일본식으로 하고 피로연은 서울에서 하기로 했다. 며느리에게는 반지를 예물로 준비했고 아들은 시계를 예물로 받았다. 유이노우긴(結納金)이라는 전통 물품의 모형을 준비하는 돈을 신랑 측이 준비해야 한다고 해서 10만 엔을 넣은 봉투를 건넸더니 이튿날 서울로 돌아가는 교통비에 보태라며 봉투만 바뀐 채 되돌아왔다. 예전에는 신부의 집에서 유이노우를 치러서 그런지 사돈댁이 잡아 둔 호텔에서 행사도 치르고 저녁 식사도 하며 하룻밤을 묵었는데 비용은 모두 사돈 측에서 지불했다.

1년 후 신사 결혼식은 히로시마 인근 이츠쿠시마 (□島) 신사에서 올렸는데 세계 문화유산으로 등록된 신사여서 신전 내부가 관광객들에게 노출되어 있고 신전까지 신랑 신부가 걸어가는 길은 관광객들의 신사 내부 관람 코스와 같았다. 조금 불안했다. 한복 차림의 아내가 함께 걷고 있었기 때문에 험한 발언이나 우리 말 욕설이 날아오지 않을까 조심스러웠다. 위안부 합의 파기 선언 이후 1년이 채 지나지 않은 때였기 때문이다. 다행히 많은 관광객 들이 축하해 주었고 '축하합니다'라는 한국 젊은이의 축하도 받았다. 무사히 끝났다는 안도감에 그날 저녁 꽤 많은 양의 술을 마셨던 것 같다.

도쿄의 신혼집은 아들과 며느리의 재직 증명서와 소득세 원천 징수 증명서를 은행에 제출하여 마련했다. 35년 장기 주택담보 대출은 두 사람의 소득액 심사로 금액이 결정되는데 도쿄의 중산층 거주 지역에 4LDK 주택 마련하는 데 전혀 문제가 없었다.

서울에서의 피로연에 수백만 원의 비용이 발생했다. 늦은 나이에 맞이한 개혼이어서 하객들에게 좋은 음식을 대접하고 싶었다. 직접 시식하며 코스별로 요리 종류와 디저트까지 조금 맛있는 것으로 선택했더니 식사 대금이 높아져서 그랬던 것 같다. 일본에서 오신 사돈 부부의 호텔 체재비를 포함한 피로연 비용을 축의금으로 계산하고 부족한 금액 수백만 원을 내 카드로 결제했다. 혼례 비용으로 천만 원이 들지 않았던 걸로 기억된다.

오해를 만드는 언론

"한국 대입 뺨치는 일본 중학 입시-교육 학대라는 신조어까지 등장"

얼마 전 국내 언론사의 기사 머리에 붙은 제목이었다. 내용이 궁금해졌다. 읽어 보니 새로운 사실도 아니었다. 1980년에도 게이오대학 출신 은행원을 두고 머리가 좋든지 집에 돈이 많든지 둘 중 하나라는 얘기도 들었고 도쿄 대학 합격자 수를 많이 내는 고교에 진학하기 위해 어느 중학을 가야 하는지의 얘기는 많이 회자하였던 내용이다. 도쿄 특파원이 좀 더 일본의 교육 방침이나 교육 목표의 변화에 대한 흐름을 이해하고 최근의 중학교 입시 경쟁을 파악하면 최근의 경쟁 현상을 우리나라의 대학 입시와 비교하는 기사는 쓰지 않았을 것 같다는 느낌이 들었다. 자극적인 제목의 기사를 읽으며 일본의 사회 현상을 보도하는 우리나라 언론의 한 단면을 보는 것 같기도 하여 씁쓸했다. 일본의 교육 방침이나 내용의 변화 과정을 현장에서 경험해 본 사람으로서는 동의할 수 없는 내용이었고 기사 제목이 문제 많은 한국 교육 현상을 일본도 닮아가고 있음을 시사하는 듯한 것이어서 헛웃음도 나왔다. 중학교 입시에 진학교(상급학교 입시를 위주로 교육하는 학교) 지원 비율이 높아진 근본 원인은 디플레이션 시정을 위해 아베 정권이 시행한 감세 정책이라고 보는 게 많은 사람의 생각이다. 손자 손녀에게 생전 증여 형식으로 일시에 1,500만엔 까지 증여세 면제 정책을 시행한 것 때문이며 최근의 높은 경쟁률은 일시적인 것으로 생각하고 기사의 제목처럼 입시 지옥으로까지 간다고는 보지 않는다. 물론 OECD 국가의 학력 비교에서 일본의 순위가 떨어져 탈 유도리 교육으로 방향 전환을 선언한 아베 정권의 학습지도 요령 변경 영향도 있을 수 있다. 그러나 증여세 면세 제도가 지속된다면 몰라도 한시적인 특례제도임을 감안하면 그 영향이 오래가지는 않을 것으로 보고 있다. 2023년 3월 말까지 디플레이션 시정 정책의 일환으로 도입된 특례 제도인데 3년 더 연장되었다. 최근의 경제 흐름을 감안하면 더 이상의 연장은 없을 것으로 보인다.

사립 진학교에 입학하여 명문대학교에 진학하려면 일반 중산층 가정으로서는 비싼 교육비 부담을 감당하기 힘들다. 일본의 대부분의 학생들은 공립학교에 진학한다. 매월 주택 대출금 상환에 보통 15~20만 엔을 할애하며 아이들의 양육 시기를 보내야 하는 가정이 대부분이다. 그리고 공립학교에서 공부를 잘하면 일반 시험으로 명문대학에 진학할 수 있는 기회도 있기 때문에 우리처럼 명문교 진학에 목매달지는 않는다. 참고로 기사에서 밝힌 지난해 중학교 입시 응시자 수가 5만 2천여 명이라고 했는데 지난해 초등학교 졸업생 수는 112만 명 정도이니 지원 비율이 그렇게 높은 것도 아니라고 생각한다. 손자 손녀가 태어났을 때 며느리에게 농담으로 카이세이에 보내어 도쿄대에 갈 수 있도록 공부시키라고 했더니 할아버지가 뒷바라지해 주면 시켜보겠다는 말로 웃어 넘겼다.

비슷한 시기에 보도된 '한국인 관광객에 바가지 씌운 일본 상술'이라는 제하의 기사도 마찬가지다. 마치 많은 일본 상인들이 한국 관광객을 상대로 바가지 상술로 금전적인 손해를 입히고 있는 악덕 상술처럼 보도했다. 일본 현지 보도에는 한국 관광객의 피해 내용은 없었다. 현지에서도 꽤 크게 보도되었는데 일본의 젊은이 들을 신주쿠 가부키초의 이자카야에서 교묘한 방법으로 유인하여 바가지를 씌웠다는 사기 상술의 범죄를 다룬 기사였다. 가부키초는 예전부터 고객을 속이는 방법으로 유명한 곳이어서 도쿄에 거주하는 사람들은 그곳의 술집에는 잘 가지 않는다. 실정을 잘 모르는 젊은이 들이 종종 사회적인 문제를 일으키는 범죄에 연루되거나 바가지 상술의 피해자가 되기도 하는 곳이다. 오래 전에는 과다한 금액을 청구받은 대학생이 도망치다 추락사한 사건도 있었고 최근에는 호스트 바에 갔던 여대생이 과다한 술값을 갚기 위해 성매매를 강요당한 사건으로도 유명한 지역이다. '도쿄 신주쿠 관광 시 주의해야 할 곳 - 우범 지역 가부키초' 라는 제목이 도쿄 특파원이 취재한 사건 기사의 제목이어야 하지 않을까 하는 생각이 들었다.

우리 국민의 반일 감정 때문에 꼭 다루고 보도해야 하는 사건에는 침묵하기도 하고 부족한 정보에 근거한 기사를 통하여 일부 의견을 일본 사회의 큰 문제점인 것처럼 부각시키거나 일본 사회에서 일어난 범죄를 한국 관광객에 대한 악덕 상술로 보도하는 언론의 태도도 양국 간 불신을 키우는 데에 일조하고 있다는 생각이 든다.

우리 부부의 발붙이기

귀국하면 오사카 야마다의 긴샤 같이 동네의 사랑방 같은 음식점을 운영해 보고 싶었다. 긴샤의 분위기가 너무 부러웠던 게 제일 큰 이유였지만 니시노미야(西宮)나 아시야 (芦屋) 의 동네 입구에 있던 테이블 2-3개의 식당을 운영하던 은퇴한 부부의 모습에서도 큰 영향을 받았던 것 같다.

내가 거주하는 동네에 차리겠다는 꿈은 귀국하자마자 접었지만 양평에 주말용 전원주택을 마련하여 서울 오가며 생활할 때 까지는 마음 한구석에 있던 꿈을 포기하지는 않았다. 리먼 사태로 환율이 치솟을 때 2개월간 이탈리아 루카라는 토스카나 지역의 작은 도시에서 이태리 요리도 배웠다. 이태리 식자재의 수배가 우리나라에서는 용이하지 않음을 알고는 일본 시코쿠 지역에 있는 사누키 우동 전문점에서 일 개월간 주방 경험도 하며 우동 요리법도 배웠다. 귀국길에 오사카의 스시 집에서 다른 메뉴의 조리법도 배우며 꿈을 키웠다. 양평 경치 좋은 물가에 우리 부부가 작은 음식점을 운영하며 찾아오는 손님들과 대화도 나누며 인생의 마지막 과정을 행복하게 보내고 싶었다.

친구의 소개로 마침 지방 백화점 식당 가에 새로 오픈하는 일본식 점포에 메뉴 개발을 도와 달라는 요청을 받아들여 약 2개월 동안 주방에서 일했던 경험이 나의 꿈은 헛된 것이라는 것을 깨닫게 해 주었다. 내가 열심히 공부하고 익혔던 요리 솜씨는 우리 가족과 가끔 멀리서 찾아오는 친구들과 함께하는 식사 시간에만 실력을 발휘하고 있다.

우리는 아직 조선시대에 살고 있었다. 식당업은 사농공상의 최하층민이 하는 업종이었다. 우리나라 자영업 종사자들의 애환은 고객들의 무례함에 기인한다고 생각한다. 배고픔을 해결해 주고 갈증을 풀어주며 휴식 공간을 제공해 주는 업주들에게 고마움을 표시하고 그에 대하여 일정 금액을 지불하는 것이 내가 경험한 선진국 서비스업에 대한 고객의 자세인데 우리 현실은 전혀 그렇지 않았다. "손님은 왕이다"라는 말은 원래 일본에서는 서비스업 종사자들 사이에서 손님을 왕처럼 대하자는 뜻으로 생긴 말인데 우리나라에서는 고객이 왕처럼 행동하는 것으로 잘못 받아들여져 가끔 손님의 입에서 그 말이 튀어나오는 걸 보면 실소를 금치 못한다. 물건을 사거나 서비스를 제공받은 사람들은 가게를 나갈 때 고맙다는 인사를 빠뜨리지 않는다. 그리고 맛있는 음식을 먹은 후에는 음식을 만든 사람에게도 인사하는 경우도 흔하다. 나는 개업 준비하던 백화점 식당가의 주방 경험을 참으로 고맙게 생각한다. 내 인생에서 군대 훈련소에서 경험했던 굴욕감과 모멸감을 다시 맛보게 해주어 괜한 헛발질을 하지 않게 해 주었으니 정말 고마운 경험이었다. 딱 한 번 일부러 주방까지 찾아와 정말 맛있는 우동을 맛보았다며 고맙다는 인사를 남기고 나가신 할머니 같은 분이 많아야 우리나라 자영업 종사자 들의 애환도 사라질 거라는 기대도 해보았다.

정원에서 만들어낸 행복

　우리 자식들도 마음고생을 많이 했지만, 아내도 예외는 아니었다. 우리 가족이 모두 힘든 시간을 갖게 된 원죄는 나에게 있었기 때문에 나는 항상 가족에게 미안한 마음을 갖고 있다. 당시의 모든 해외 주재원 부인들이 그러했지만 익숙하지 않고 외로운 환경에서 육아와 가사에 매달려 고생을 많이 했다. 귀국해 보니 바뀌어 버린 세태에 많이 당황스러워했다. 나와 거의 같은 시기에 아내도 친구들과의 만남에 어려움을 토로했다. 모임의 목적보다는 모임에 나오는 친구들의 호불호로 발생하는 다툼(내가 듣기에는 일종의 차별이었다)으로 친구들 모임 참석을 불편해했다.

　아이들은 처음 경험하는 우리 사회에 적응하지 못하였고 우리 부부는 달라진 세태에 힘들어했다. 아파트 속으로 숨어버린 이웃들은 무엇인가를 숨기려는 사람처럼 마주치기를 피하는 것 같았다. 친구들과의 만남은 정기적으로 만나는 전체 모임이나 자식들 결혼식처럼 예고된 일정이 쉽게 바뀌지 않는 모임을 통해서만 이어갔다. 자기 형편에 따라 쉽게 일정을 바꾸거나 취소하는 친구 들과의 약속에 많이 지치고 힘들어 했다. 일본으로 떠나기 전에 정겹게 느껴졌던 서울의 모습은 강북 도심의 좁은 골목길에서 가끔 느낄 수 있었지만 고층 아파트와 길게 뻗은 도로가 바둑판처럼 만나는 강남은 낯선 외국의 도시처럼 우리에겐 익숙하지 않은 곳이었다.

　어느 날 두물머리 남한강 변의 한적한 카페에서 아내와 나는 서울을 떠나서 생활하는 방법을 얘기하기 시작했다. 일찍부터 아내는 꽃을 좋아했다. 부부 싸움은 귀갓길에 꽃다발이나 화분 하나 사 가면 거의 해결되었다. 언젠가 생일날 꽃 배달 업체에 장미 100송이를 배달 주문하여 오랜 기간 아내의 웃는 모습을 보았던 기억도 있다. 아내의 고민 해결법은 의외로 간단했다. 나 또한 작은 음식점을 운영해 보고 싶은 꿈이 있어서 양평의 오래된 마을 한 귀퉁이에 붙어 있는 밭을 사서 꽃 키울 수 있는 전원주택을 마련하기로 했다. 그렇게 하여 우리는 양평에 전원주택을 완공하고 서울을 오가는 전원생활을 시작했다.

나의 음식점 운영에 대한 꿈은 수포로 돌아갔지만, 아내는 꽃을 키우며 전원생활에 만족해했다.

특별한 감정 없이 맞이하게 된 60세 생일날 아내로부터 축하 인사를 받으며 되물었다.

"당신 환갑 생일 선물은 무엇이 좋을까?"

"꽃이 가득한 예쁜 유럽식 정원"

정원 디자인을 어떻게 할지 어떤 꽃과 관목류를 심어야 할지 어디서부터 시작해야 할지 처음에는 엄두가 나지 않았다. 우선 경기도 산하 기관에서 주관하는 6개월 코스의 조경학교에 등록하여 일반적인 조경 지식을 습득한 후에 여주 소재 농업 전문학교에 입학하여 1년간 야채 화훼 재배법을 배우고 현장학습을 통한 실제 재배법을 익혔다. 정원 디자이너의 조언을 들어가며 일 년 정도의 공사 끝에 2014년 봄날 정원을 완성했다. 많은 공사를 서투르지만 내가 직접 시공했다. 정원을 만들며 깨달은 사실은 이 일은 돈을 줘가며 남에게 시킬 일이 아니라는 것이었다. 힘든 일이지만 내가 직접 하면서 즐거웠고 행복했다. 돈까지 지불해 가며 나의 즐거움을 남에게 빼앗기기 싫었다. 정원이라는 공간이 주는 기쁨을 맛보며 우리는 차츰 마음의 안정을 찾아갔다. 혹독한 추위에도 때가 되면 싹을 올리고 꽃을 피우는 식물들과의 대화가 유일한 즐거움이자 보람이었다. 서울이 아닌 곳에서 둘만이 만들어 가는 새로운 생활에 익숙해지고 있었다.

조용한 시골에서 보이는 세상

두세 달에 한 번 동창회 모임이나 회사 OB 모임 참석을 위해 서울 나들이할 기회가 있지만 서로 나이 들어가는 모습만 확인하는 모임이 되어가는 것 같아 점점 참석 횟수는 줄이고 있다. 고성을 지르며 분노하는 사람들의 모습에 두려움도 생기고 꽉 막힌 도로에서 지치기도 하여 점점 서울 나들이는 피곤하고 부담스러운 일이 되어 가고 있다. 그렇다고 마을 주민들과 가깝게 지내는 것도 아니다. 마주치면 서로 인사는 하지만 그들도 우리를 완전한 이웃으로 받아 주지 않는다. 편리한 도시에서 살다가 나이 들어 공기 좋은 시골로 옮겨와 평안한 노년을 보내려는 밉상스러운 존재일 뿐이다. 평생을 농사지으며 살아온 이들에게는 당연한 일이다. 아파트처럼 답답한 공간은 아니지만 시골에서도 교류하는 이웃 없이 둘만의 생활을 하며 지낸다.

평소에 우리가 외부와 접촉하는 방법은 TV 또는 인터넷 신문을 통한 뉴스, 그리고 SNS를 이용한 지인들과의 연락이 대부분이다.

하루 종일 바깥에서 일하다 샤워 후 한잔 마시는 맥주의 시원함에 취하여 저녁은 간단히 때우고 습관적으로 TV 앞에 앉는다. 9시 저녁 뉴스가 시작되고 앵커의 헤드라인 멘트를 들으며 잠이 든다. 나이 탓인지 시골 생활 탓인지 새벽 5시 전후가 기상 시각이다. 요란하게 느껴지는 커피 빈 그라인더 소리와 잠시 후 퍼지는 커피 향에 정신을 차리고는 우선 CNN과 BBC를 통하여 세계 곳곳에서 무슨 일이 벌어지고 있는지 살펴보고 6시에는 자식들이 생활하고 있는 일본 뉴스를 보기 위해 NHK를 시청한다. 7시부터는 전날 밤 끝까지 보지 못했던 우리나라 뉴스를 시청하며 일과를 준비한다. 부족한 영어 실력이어서 정확한 내용을 모두 파악하기는 어렵지만 화면에 비치는 제목 등의 도움도 받아 어떤 일이 일어났으며 그 사건을 바라보는 전문가의 해설도 시청할 수 있다. 대부분의 주요 뉴스는 NHK에서 다시 외신으로 다루어지기 때문에 뉴스 내용을 재 확인할 수 있기도 하다. 해외에서 일어난 사건이 우리나라에 어떤 영향을 미칠지를 예측하는 것은 순전히 내 몫이 되고 아내는 내 예측 해설의 유일한 청취자이기도 하다.

7시 우리나라 뉴스는 많은 경우 또 다른 전투 현장의 보도 뉴스이다. 정말 소란스럽고 어수선한 아침이다. 국내 정치 관련 뉴스가 나오면 다른 채널로 바꾼다. 분쟁이 일어나기 전에 예상되는 문제점을 클로즈업하여 당사자의 주장을 듣고 문제를 공론화하여 해결책을 제시하는 언론의 모습은 우리나라에서는 보기 힘들다. NHK의 경우 저녁

황금시간대에 문제 제기와 대책을 제시하거나 새로운 사회현상을 보도하는 정규 방송 프로그램이 있어서 많은 문제가 분쟁으로 가는 걸 미리 예방하고 새로운 사회 현상의 설명도 하며 공영방송의 역할을 수행하고 있다. 특히 변화하는 미래 환경에 대응할 수 있는 제도 개선은 많은 경우 언론을 통하여 제기되어 이루어지기도 한다. 나라 바깥 뉴스 보도 시간도 늘려서 세계적인 이슈에 대한 관심도 가질 수 있으면 좋겠다. 우리나라에서는 다른 행성에서 일어나고 있는 것처럼 잘 다루지 않는 기후 변화 관련 뉴스는 해외 채널을 통하여 그 심각성을 느끼고 있다. 우리나라도 피해 갈 수 없는 문제인데 마치 관계없는 이슈처럼 조용하다. 일부 기업에서만 생존을 위해 움직이고 있는 듯하다.

남은 시간에 마지막으로 하고 싶은 일

아내와 둘만의 전원생활은 만족스럽다. 하지만 모든 것에는 끝이 있다는 진리는 나이 들면 수시로 깨우쳐야 하는 생활 지침이다. 아내는 늦게 찾아온 손자 손녀와 가깝게 있고 싶어 아들네가 살고 있는 도쿄로 가고 싶어 한다. 나는 일본에 정착할 수밖에 없는 우리 아들들과 손자들을 위하여 얼마 남지 않은 시간에 무슨 일을 해야 할 지를 고민하고 있다.

길었던 일본 생활과 잦은 해외여행에서 내가 한국인이었던 게 자랑스럽고 뿌듯하게 느꼈던 때는 우리나라의 경제 발전, 서울 올림픽의 성공적 개최, 세계 각국에서 마주쳤던 현대 삼성 LG 같은 대기업 로고 등이 있지만 가장 기억에 남아 있는 것은 김대중 대통령의 일본 국회 연설이었다. 많은 교포가 눈물을 흘렸고 실황을 보던 나도 눈시울을 붉혔다. 감동적이었다. 미래 지향적 양국 관계를 선언할 때 나는 도쿄 부임 초기의 힘들었던 일 들을 떠 올렸다. 고국이 경제적으로 안정되고 사회가 합리적으로 돌아가는 선진국으로 인정받을 때 해외에 거주하는 동포도 세계시민으로부터 환영받는 국민이 될 수 있다.

마지막 남은 시간은 우리 손자 손녀가 한국인임을 자랑스럽게 여기며 떳떳하게 일본에서 살아갈 수 있도록 양국 간의 오해를 조금이라도 줄이는 일에 쏟으며 살아가고 싶다. 같을 것 같지만 너무나 다른 양국 문화의 차이를 오해 없이 받아들이고 가까운 이웃으로서 왕래하며 함께 도우며 살아가는 사이가 될 수 있으면 좋겠다. 하고 싶었던 이야기, 꼭 알려야 했던 사실을 가슴에만 담아두고 지냈던 시간이 더 이상 후회스럽지 않도록 하고 싶다. 장애물 들을 하나하나 없애는 일에 용기 내어 한 걸음씩 나가기 위해 꿈 같았던 정원에서의 행복한 시간을 마무리해야 할 순간이 조금씩 다가오고 있는 것 같다.

아빠의 인생 2막을 응원해

김승아

김승아 인생을 더 재미있게 만들려면 자신이 좋아하는 일을 쫓아야 한다고 믿는
다. 이 건강하고 멋진 믿음은 사랑하는 아빠로부터 얻었다. 아빠와 함께
한 소중한 추억을 떠올리며, 정년 퇴직 후 이어질 아빠의 새로운 시작을
응원하는 글을 담았다.

blog: blog.naver.com/tmddk9291

"아빠 한 3월까지만 일할 것 같은데?"

"그래요?"

차는 강변북로를 달리고 있었다. 재작년 결혼식을 올리고 남편과 새 가정을 이룬 내가 오랜만에 부모님이 계신 본가에 들른 날이었다. 다시 돌아가는 길, 아빠는 양손에 짐이 많은 내가 걱정되었는지 집까지 데려다주겠다고 했다. 아빠는 운전석, 나는 조수석에. 여느 때처럼 나 혼자 시답잖은 이야기들을 쫑알쫑알 늘어놓았다. 그러다 몇 번 질문을 던지면 아빠는 그제야 입을 열었다. 내가 말하기를 잠시 쉬면 차 안에는 적막이 흐르곤 했지만 그게 늘 불편하진 않았다. 라디오나 음악 소리 없이도 심심하지 않았다. 아빠는 이 세상에서 나를 가장 편안하게 해주는 사람이니까. 차로 한 시간이 조금 안 걸리는 거리. 대략 반 이상쯤 왔을까? 또다시 이어진 고요 속에서 아빠가 덤덤하게 툭 한 마디를 던졌다. 곧 있을 아빠의 정년퇴직 소식이었다.

정년퇴직이 가까운 나이, 아빠가 어느새 환갑이었다. 예순 번째 생일이라니. 몇 년 전 백화점에서 아빠의 생신 선물을 고르던 그때가 떠올랐다. 어떤 선물을 해야 할까? 벨트가 좋으려나, 역시 지갑이 나으려나?

"아버지께 선물하려고 하는데요."

"아, 아버님 선물이요. 연세가 어떻게 되세요?"

아빠의 나이를 묻는 점원의 질문에 "50대 중반이요."하고 대답했다. 그러자 점원의 손에 웬 노년의 신사분들이 들법한 지갑들이 하나둘 꺼내져 나왔다. '하하 이건 뭔가 지나치게 중후한 디자인인데? 50대가 이런 지갑을 들면 60대는 도대체 어떤 디자인의 지갑을 들어야 하는 거야?' 생각했다.

매년 새해는 찾아왔고, 특히나 작년에는 정부의 정책으로 만 나이니 연 나이니 하며 나이 얘기로 떠들썩했다. 6월부터 개정된 법이 시행된다는 말에 '그럼 난 몇 살이 되는 거지?', '20대를 1년 더 보낼 수 있겠어!' 하며 한껏 들떠 있었다. 나는 내 나이에만 민감했다. 고작 몇 개월에도 예민하게 받아들이면서 아빠의 나이에는 그러지 못했다. 아빠의 시간은 그 어디 언저리에 가만히 머물러있을 거라 생각했다. 만 60세. 아빠는 어느새 고리타분한 지갑이 어울리는 나이가 되었다. 아빠의 나이 앞에 적힌 6이라는 숫자가 신기하기도 약간은 어색하기도 했지만 나는 그냥 딱 그 정도로만, 그저 단순하게만 생각했다. 아빠의 생각은 조금 달랐을까, 덤덤히 들리는 말속에서 들리지 않는 한숨이 느껴졌다. 조금이라도 우울한 내색은 하시지 않았다. 걱정이 쌓인 표정을 지을 줄도 모르셨다. 하지만 이내 거듭해서 말씀하셨다.

"그만두면 뭐 하고 살지?"

묵묵한 아빠의 입에서 퇴직 후 당신의 모습이 재차 튀어나왔다. 아마도 아빠의 머릿속엔 퇴직이라는 것이 상당 부분 자리하고 있나 보다.

아빠는 어릴 적 누나 둘에 여동생 하나, 셋째지만 장남이었고 독자 중에서도 귀하다는 삼대독자였다. 할머니의 옛날얘기에 따르면 아들이 귀하던 그 시절, 행여라도 무슨 일이 생길까 아빠에게 다양한 경험을 시켜줄 수 없었다고 했다. 그럼에도 어린 학창 시절의 아빠는 코 묻은 티끌 같은 돈을 모아 탈수기를 장만해 드렸다. 세탁기에 탈수 기능이 없어 고생하시던 할머니를 위한 일이었다. 그 어릴 당시부터 스며든 장남의 마음은 곧 자식을 위해 헌신하는 아빠의 마음이 되었다.

아빠는 수십 년간 근면 성실 열심히 살았다. 공학 대학을 졸업 후 빠르게 취업했고, 장남에 삼대독자니 늦지 않게 때맞춰 엄마와 결혼을 했다. 신혼생활이랄 것도 없이 자연스레 슬하에는 오빠를, 3년 터울로 나까지 두 명의 자식을 두었다. 쑥쑥 커가는 어린 오빠와 나를 돌보기 위해 근무 시간을 새벽으로 옮겨 밤낮이 바뀐 삶을 살았다. 밤에는 엄마가, 낮에는 아빠가 있었다. 해가 떠야 퇴근을 하는 아빠가 이제야 눈 좀 붙이려 하면 철없는 나는 아빠 등에 올라타 놀아달라고 떼를 썼다. 부끄럽게도 이 장면은 아직도 기억 속에 남아있는 흔한 일상이었다.

부모님의 고된 헌신 속에서 오빠와 나는 무럭무럭 자랐다. 어느새 둘 다 대학을 졸업했다. 나이도 벌써 30대가 되었고 n번째 직장을 다니고 있다. 고단한 아빠의 등에 오르던 그 철없는 딸, 나는 시집까지 갔다. 아빠는 그 오랜 시간 동안 가족을 위해 땀 흘리며 일만 했음에도 '퇴직 전에 아들놈까지 장가를 보내면 좋았으련만' 하며 큰돈 나갈 일이 또 생기면 어떻게 해야 할지 앞장서 고민을 했다.

금전적인 이유는 차치하더라도 수십 년간 해온 일을 떠나보내는 것이 꽤 큰 공허함을 주는 모양이었다. 아빠는 특히 일에 대한 자부심이 많았다. 회사에서 나만큼 일하는 사람이 없다며, 동료들은 나를 도사라고 부른다며 으쓱했다. 아빠의 연차 휴무 날에도 아빠의 휴대전화는 항상 바쁘게 울렸다. 전화를 건 이들은 아빠의 직장 동료들. 아빠는 휴대전화에 대고 이러쿵저러쿵 전문적인 업무 용어들을 읊고는 그들이 겪은 업무 문제들을 손쉽게 해결했다. 잘하는 일은 응당 좋아하는 일이 되기 마련이지. 아빠는 잘했던 만큼 아쉬움도 컸을 것 같다. 큰 빈자리를 채우기 위해 아빠는 은퇴 후에도 취미든 직업이든 또 다른 새로운 일을 시작해 보려 하지만, 오랜 세월 한 곳에서 몸담고 일한 탓에 정작 좋아하는 일이 무엇인지 깊이 생각해 보지 못했던 것 같다.

아빠는 무얼 좋아하지? 좋아하는 음식은 어떤 거지?

아빠가 멕시코 음식 타코(taco)를 처음 먹어보던 그날이 떠올랐다.

외식 메뉴를 결정하며 나는 '아빠는 매콤하고 얼큰한 걸 좋아하실 거야. 그럼, 한식 중에... 아무래도 밥은 있어야겠지? 남미 음식은 향신료 향이 날 수 있으니 안 좋아하실 거야.' 생각했지만, 그것은 내 큰 착각이었다. 혹시 좋아하실지 모른다며 사위가 모시고 들어간 곳은 쨍한 원색으로 인테리어해 멕시코 현지 분위기를 구현한 타코 전문점이었다. 그곳에서 아빠는 살짝 데운 토르티야 위에 돼지고기며 새우며 닭고기며 육해공을 왕창 올리고는 생크림도 마요네즈도 아닌 산뜻한 맛의 하얀 소스까지 듬뿍 얹어 쌈을 싸 먹듯 한입 가득 입안에 넣었다. 평소에도 표현이 큰 분은 아니니 여전히 아무 의견 없는 식사가 계속되었지만, 타코는 한 쌈 두 쌈 연달아 만들어졌고 식사 속도 또한 느려지지 않았다. 새 메뉴는 합격점을 받은 듯했다.

"처음 맛보는 맛인데, 괜찮던데?"

아니나 다를까 아빠의 표현 방식으로 극찬이 나왔다. 그러고는 얼마 안 있어,

"그때 먹은 타코 같은 거 없나? 안 먹어 본, 그런 거?"

하며 맛나게 먹었던 타코의 칭찬을 다시 한번, 동시에 새로운 음식에 대한 도전 의사를 내비쳤다. 새로운 음식을 받아들이는 나의 태도는 확실히 아빠에게서 왔구나 싶었다. 나는 20대 초반까지만 해도 고수를 못 먹었다. 뭐랄까? 화장품 맛이 났달까? 그런데 해외로 여행을 다니다 보니 음식에 고수를 사용하는 나라가 정말 많다는 것을 알게 되었다. 고수를 안 먹으면 못 먹어보는 음식이 너무 많아지게 되는 것이다. 그 사실이 억울해 화장품 맛의 고수를 몇 번이나 꾹 참고 억지

로 씹어 삼켰다. 입맛에 안 맞으면 안 먹고 넘어갈 법도 한데, 더 많은 음식을 먹어보겠다며 기어코 혀에 고수 맛을 적응시켰고 어느새 나는 고수 빠진 쌀국수는 쌀국수가 아니라고 주장하는 경지에 이르렀다. 더 다양한 음식을 경험할 수 있었던 것도 아빠를 닮은 덕분이 아니었을까?

또 하나, 아빠는 아빠만의 음식 철학을 가지고 있다. 예를 들어 김치찌개는 고기는 비계가 많은 부분으로, 거기에 찌개 속 김치가 아닌 생김치를 올려 먹어야 한다. 김치찌개를 먹을 때마다 그게 제일 맛있는 방법이니 먹어보라 권한다. 삶은 달걀은 마요네즈를 찍어 먹어야 한다. 내가 어렸을 때 친구들과 삶은 달걀에 관해 이야기한 적이 있었는데 이야기를 나눈 모든 친구의 가정에선 삶은 달걀에 소금, 소금을 찍어 먹는다는 것이다. 이럴 수가, 마요네즈를 찍어 먹는 집은 우리 집 한 곳뿐이었다. 사실 유명 샌드위치 프랜차이즈의 스테디셀러 메뉴 '에그마요'를 생각한다면, 혹은 마요네즈의 원료가 무엇인지를 생각해 본다면 그리 특이할 일도 아니었지만, '삶은 달걀'을 마요네즈에 찍어 먹는 일은 확실하게도 드문 일이었다. 우리 집이 소수의 맛 취향을 갖게 된 배경은 아빠가 마요네즈를 무척이나 좋아한 연유였다. 아빠를 위해 볶음 라면을 만들어 드릴 때에도 위에 마요네즈를 뿌린 경우와 아닌 경우, 리액션은 확연히 달랐다. 심지어 즐겨 먹는 '오뚜기 고소한 골드 마요네즈'가 아니면 미묘한 산미의 차이를 구분해 내기까지 했다.

남편의 말을 빌리면 나 또한 아빠처럼 그런 음식 철학을 갖고 있다고 했다. 야채곱창은 꼭 구리시 곱창골목에서 먹어야 한다느니, 뷔페에 가면 몇 접시 이상은 먹어야 손해가 없다느니 하면서 말이다. 엄마는 곱창은 그다지, 뷔페는커녕 한 접시에 조금씩 나오는 한정식 코스도 두 젓가락쯤 덜 먹는다. 먹는 것에서만큼은 확실히 친탁을 한 것이다. 내가 맛있어하는 모든 것들이 어쩌면 아빠의 입맛에도 안성맞춤일 수 있겠구나 싶다. 아빠와 미식 여행을 떠나봐야겠다. 아빠, 식食호흡 한번 맞춰봅시다.

아빠는 뚝딱뚝딱 만드는 걸 좋아한다.

"요즘은 유튜브에 이런 게 뜬다? 봐봐, 이 사람은 필리핀에 집 짓는 걸 찍어서 올려."

필리핀의 어느 지역에서 셀프로 집을 짓는 한 영상을 보고 아빠는 흥미로운 목소리로 말했다. 아빠는 시골 한적한 곳에 직접 집을 지어 살고 싶어 했다. 도시를 좋아하는 엄마와의 합의가 필요해 비록 실행에 옮기지는 못했지만 여전히 그 로망이 있는듯했다. 집을 못 짓는다면 규모를 줄여, 가구를 만들기도 했다. 아빠의 가구는 비록 세련된 디자인은 아니었지만 사용하는 사람에게 알맞고, 바퀴며 수납이며 여러 디테일을 포함한 실용적인 가구였다.

아빠의 창의성이 발현된 가구가 신기하면서도 한편으로 그리 놀라운 일은 아니었다. 그전부터 아빠가 무언갈 잘 만드는 건 알고 있었으니까. 내가 초등학생 때부터 아빠는 늘 나의 방학 숙제, 그중 만들기 숙제하는 것을 도와주었다. 만들기 교재를 펼쳐 내가 원하는 것을 고르면 아빠는 필요한 재료들부터 모아보자고 차근차근 알려주었다. 어느 방학에는 미니 소파를 골랐다. 만들기 재료로 1리터짜리 우유갑이 스무 개 이상이나 필요했다. 우유갑을 빨리 모으고 싶은 마음에 한 번에 우유 1리터를 비워 배앓이하는 무모한 일을 벌이면, 아빠는 주변 카페에 부탁을 드리는 기발한 방법으로 우유갑을 한가득 구해 주었다.

폐품으로 만든 태권 브이 모형도 있었다. 완성도가 높다며 교실 뒤 사물함 위에서 교내 중앙 복도로 이동되어 학기 내내 전시되기도 했다. 다 먹은 과자 상자가 태권브이의 몸과 발이 되었고 다 쓴 두루마리 휴지 심이 팔과 다리가 되었다. 아빠의 아이디어로 주먹은 탈부착이 되었다. 로보트 태권의 '정의로 뭉친 주먹'이 발사가 가능했던 것이다. 무엇이든 뚝딱뚝딱 잘 만드는 아빠 덕에 만들기 숙제만큼은 항상 자신만만했다.

지난가을 우리 가족은 일본 후쿠오카로 여행을 떠났다.

엄마와 아빠, 오빠, 남편, 그리고 나. 다섯 명이 함께 후쿠오카행 비행기에 올랐다. 우리 가족의 첫 해외여행이었다. 아빠는 몇 년 전쯤 해외여행을 가기 위해 여권을 준비했었지만 전 세계에 창궐한 코로나바이러스로 인해 여권 유효기간이 2년이 지나는 동안 아무 곳에도 나가지 못했다. 그러나 아빠의 해외여행이 멈춰 있던 것은 코로나바이러스 때문은 아니었다. 엄마와 길게 맞추지 못했던 연휴 일정 때문이었는지, 혹은 낯선 땅에 대한 이질감 때문이었는지 몰라도 타국 땅을 밟은 지 어느새 30여 년이 지났다. 아빠는 내가 태어나기도 전인 그 옛날에 출장을 목적으로 도쿄에 갔었다고 했다. 목적이 목적인 만큼 관광도 할 수 없었고 그래서 기억에 남는 것도 별로 없다고 했다. 아빠에게 후쿠오카 여행은 처음이라고 봐도 무방한 그런 해외여행이었다.

후쿠오카를 가로지르는 나카스 강변 주변에 숙소를 잡았다. 4박 5일 일정 내내 같은 숙소에서 머물렀고 엄마, 아빠, 오빠가 한 방을 남편과 내가 한방을 사용했다. 후쿠오카의 유명 관광지들을 둘러보며 하루를 빼곡히 보냈고 일과가 모두 끝난 후엔 다음 날 1층 로비에서 만날 약속 시간을 정했다. 약속 시간은 아침 8시였다. 8시면 많은 곳을 둘러볼 수 있는 충분히 이른 시간이었음에도 아빠는 한참 전에 혼자 나와 호텔 주변을 둘러보고 왔다. 나는 해외여행을 몇 번 다녀봤지만 혼자 구글맵 없이 돌아다녀 본 적은 없었는데. 구글맵을 다운로드조차 하지 않은 아빠는 나름의 방법으로 숙소 주변의 지형지물을 파악하고 돌아왔다.

약속 시간이 되어 가족 모두 로비에 모였다. 그다음엔 첫 번째 일정을 위해 지하철역에 가야 했다. 어느 방향으로 가야 하나 주섬주섬 휴대전화를 꺼내는 사이, 아빠는 저 앞까지 앞장서 걸어갔다.

"여기로 가면 지하철역이야."

한마디 하고는 한자로 쓰여 읽기도 어려운 지하철역 출입구 앞에 우리 가족을 데려다 놓았다.

"맞지? 역 딱 나오지?"

하며 지도 없이도 잘 다닐 수 있다는 것을 은근슬쩍 자랑도 했다.

하긴 그랬다. 어렸을 적 내비게이션도 없던 그 시절에, 여행을 가는 날이면 아빠는 출발 전 혹은 휴게소에서 운전석 뒷자리에 꽂힌 전국 지도 책을 펼쳐 훑어봤다. 그러면 이내 곧 여행지에, 그리고 다시 집까지 무리 없이 다녀올 수 있었다. 아빠야말로 여행을 잘하고 진정 즐길 줄 아는 사람이었는데 그것도 잊은 채 나는 그동안 혼자서만 이곳저곳을 다녔던 것이다. 이미 많이 늦었지만, 지금부터라도 아빠와 같이 더 많은 곳을 여행 다니고 싶다. 아빠의 여행 취향은 어떨는지 다양하게 경험시켜 드리고 싶다.

엄마에게 물었다. 아빠가 곧 퇴직하는데 기분이 어떠냐고. 엄마는 아무런 걱정도 들지 않는다고 하며, 네 아빠 그동안 고생 많이 했으니까 당분간은 푹 쉬었으면 좋겠다고 했다. 오랜 세월 일해왔으니 당연히 공허한 마음이 따라오겠지만 이것저것 배우면서 공허한 부분을 채워나갔으면 좋겠다고도 했다.

나도 같은 마음이었다. 아빠만의 시간이 늘어난 만큼, 카페에 가서 굳이 2천 원이나 더 비싼 핸드드립 커피를 마셔본다던가, 연주할 일이 없더라도 문화센터에서 통기타를 배워본다던가, 사랑하는 가족의 얼굴을 수채물감을 그려본다던가 하면서 아빠의 인생에 새로운 재미들을 더했으면 좋겠다.

나는 내가 무얼 좋아하는지, 무얼 배워보고 싶은지 잘 알고 있고, 그 건강한 마음은 모두 넓게 보고 깊이 생각할 수 있게 키워준 엄마 아빠 덕이라고 생각한다. 인생 2막을 앞둔 아빠를 위해서 나도 아빠에게, 아빠가 나에게 해주었던 이야기들을 들려주고 싶었다. 내가 그저 내 멋대로, 내 마음 가는 대로 답이 정해져 있는 뻔뻔한 질문을 던져도 아빠는 늘 다 괜찮다고, 네 인생이니 네가 알아서 하면 되는 거라고 지지해 주었던 것처럼 아빠가 나에게 준 무한한 응원과 믿음을 이제는 내가 아빠에게 보답하고 싶다. 새롭게 시작될 인생 2막을 누구보다 더 재미나게 보내시길 바란다. 정년퇴직, 끝난 게 아니라 시작. 새로운 출발점에 서있는 아빠를 진심으로 응원합니다.

아빠께.

아빠, 안녕하세요.

서른이 되었지만, 아직도 사랑스러운 막내 승아예요.

이제 수십 년간 몸담았던 회사를 떠나 인생 2막을 맞이하게 되셨네요.

새로운 인생이 두려우신가요, 두근거리시나요?

부디 후자의 마음이길 바라요. 저는 정말 그럴거든요.

아빠와 함께할 시간이 더 많아졌으니,

아빠랑 단둘이 여행도 가보고 싶고요.

맛도 있고 양~껏 먹을 수도 있는 뷔페 맛집도 가보고 싶어요.

제 한평생 아빠께서 주셨던 사랑과 믿음, 응원과 지지는

제가 아빠를 존경하는 가장 큰 이유예요.

아빠께서 그래 주셨듯. 제 도움이 필요한 일이라면 항상 달려갈게요.

그동안 해보고 싶었던, 아빠가 진정으로 원하는 일들을 차근차근 그려보시길 바라요.

항상 응원할게요.

정년퇴직을 진심으로 축하드립니다.

근 40년 동안 정말 고생 많으셨어요. 사랑해요. 아빠!

2024년 벚꽃이 지고 철쭉이 피어나는 계절에,

아빠의 인생 2막에서. 아빠 딸 승아 올림.

나의 해방

제이

제이   동물들, 식물들. 존재하는 모든 것들의 수고에 늘 경의를 표하는 사람.

삶의 이해를 높이기 위한 궁리를 끊임없이 하는 사람.

어느 나라 어느 곳에서 알 수 없는 고통으로 아파하는 누군가를 생각하

며 눈물 흘리는 사람.

바로 당신에게 위로를 주고 싶은 사람.

끝. 끝이라는 말을 좋아한다. 끝난다는 것은 좋은 것이다. 다 끝냈으니까. 끝까지 한 거니까. 즐겨 듣는 라디오 프로그램에서 제일 마지막 곡을 '끝 곡'이라며 소개하는데 그 표현이 좋다. '오늘의 마지막 곡'이 보다는 '오늘의 끝 곡'. 이 표현이 맘에 든다. 하지만 끝내기 힘든 일들도 있다. 사람 사이의 관계에 관한 일들은 끝을 내기가 어렵다. 끝낸다고 끝도 아니고 끝을 내기도 어려운 게 인간관계다. 삶이라는 것 또한 쉽게 끝낼 수 없는 문제다. 내가 끝이라는 단어를 좋아하는 이유는 아마도 끝내고 싶지만 정말로 끝낼 수 없는 일들 때문일 것이다.

끝낼 수 있었다면 엄마도 쉽게 삶을 끝냈겠지. 끝낼 수 있었다면 아빠의 도움 따윈 필요 없다고 부녀의 인연을 끝냈겠지.

사람과의 관계가 늘 낯선 내게는 가족이나 자주 만나는 친구와 함께 있는 시간이 부담으로 느껴질 때가 많다. 나에 대해, 상대에 대해 안다는 건 서로를 대하는 기준이나 방법을 생각해야 하는 피곤한 일이기에 때로는 잘 모르는 사람과의 만남이 편하다.

이른 봄이다. 지희와 나는 한 달여 만에 만나기로 했다. 못해도 2주에 한 번은 만나는 친구지만 서로 바쁜 일들로 인해 한 달 만에 약속을 잡았다. 지난주 지희에게 만나자는 연락이 몇 번 왔었지만, 바쁘다는 핑계로 계속 외면 했었고 더는 미루기가 미안해 시간이 없다는 지희의 말에도 잠깐 만나 점심이라도 함께 하자고 한 것이다.

한 달간 우리 만남의 공백은 무엇 때문이었을까. 그건 아마도 나의 결핍 때문이었을 것이다. 삶을 바라보는 내 생각의 결핍. 세상과 사회로부터 느끼는 소외감. 인간관계에 대한 피로감. 스스로에게 늘 문제가 되는 나.

그런 내게 지희와의 시간은 잠시 숨을 허락하는 시간과도 같다.

이렇게 오랜만에 만날 때면 어떻게 첫인사를 해야 할지 어색하지만 애써 들키지 않으려 평소보다 더 과한 표정과 손짓으로 반가움을 표현한다. 그러면 지희 역시 환한 웃음과 함께, 한 손을 좌우로 흔들며 나를 반겨준다.

때 이른 고온 현상으로 한 낮에는 다소 더울 것으로 예상된다는 라디오의 일기 예보에 맞게 옷을 차려입으려 하는데 입고 나갈 마땅한 옷이 없었다. 생각해 보니 작년 봄에도 고민했고 여름에도 가을에도 겨울에도 고민했다. 아버지 잘 만나 편하게 산다는 소리가 듣기 싫어 옷 사 입는 것도 싫었다. 옷이라는 건 그저 계절에 맞게 필요에 의한 것만 걸치면 되는 거야 스스로에게 주문을 걸며 한 해 한 해 보내왔던 게 이제 옷 사는 것도 사치로 느껴졌다.

광화문에 함박스테이크 맛집이 있다며 지희가 정해준 약속 장소로 가기 전, 오랜만에 서점에 들렀다 가고자 약속 시간보다 이른 시간에 광화문역에 내려 교보문고로 향했다.

4월의 봄 햇살이 많이 내리는 날이다. 봄의 햇살이 빌딩과 나무에 흘러넘치고 무거웠던 마음에도 스며들어 생각의 커튼을 걷어 내주었고 아침 공기는 생각을 깨우고 있었다.

아침의 이 기운이 좋다. 아직 누가 마시기 전과 같은 기운. 많은 것들이 널리기 전 모든 게 정리되어 있는 것과도 같은, 많은 이들의 움직임이 없이 모든 게 내 것 같은 기운.

아침에 걷는 도심은 숲을 거니는 것과도 같이 상쾌한 기분이다.

기분이 한결 좋아짐을 느끼며 서점을 향하여 설레는 마음으로 걷고 있는데 30대 중반 정도 되어 보이는 여자가 혹시 근처에 맛집 있는지 길을 물어본다.

보통의 여자와 다르게 옷차림에 별로 신경 써 보이지 않은 모습이 나처럼 옷에 관심이 없는 사람인가 보다 생각했다. 어깨보다 조금 더 내려오는 머리카락은 검정 고무줄로 무언가를 굳게 다짐한 듯 질끈 묶어 내렸고 봄보다는 가을에 어울릴 만한 제법 도톰해 보이는 갈색 스웨터에 청바지. 얼마나 많이 걸었는지 많이 닳아진 운동화와 백팩 차림은 맛집을 찾기보다는 소풍날 보물찾기를 하는 중이라고 해야 어울려 보였다. 봄의 햇살과 아침의 기운에 기분 좋아진 나는 지희와 만나기로 한 함박스테이크 집을 얘기해줬다.

그녀는 여기서 아주 먼지 또 다른 곳은 없는지 카페는 어디가 괜찮은지 또 물었다.

사람은 신기한 존재다. 서로 마주하며 대화할 때 상대에 대해 품고 있는 마음이 전해지기도 하니 말이다.

내게 길을 물어보는 그녀는 나를 바라보고 있지만 머릿속에서는 다른 생각함이 느껴졌다.

무슨 의도인지는 모르지만 속고 있는듯한 느낌을 받자, 내 대답도 흐려졌다.

그제야 목적을 드러내듯 그녀는 복이 있는 상이라는 말들을 한다.

봄날의 햇살에 좋았던 기분이 순간 깨어지고 아직 아무도 다녀가지 않은 내 아침을 누군가 잔뜩 먼지 묻힌 신발을 신고 마구 밟고 지나가 버린 느낌이었다. 자신만의 보물찾기라도 하는 그녀가, 아니 낚시질 하는 그녀가 그렇게 내 좋은 기분에 잔뜩 먼지를 묻혔다.

관심 없다며 가던 길을 가려는 내게 다른 뜻 없으니 잠깐 얘기 하자 며 몇 걸음 더 따라왔다. 그녀에게 도망치듯 빠른 걸음으로 서점에 도 착했지만, 상한 기분이 영 가시지 않았다.

어려서부터 주변 사람들에게서 자주 들었던 말 중 하나가 무슨 일 있느냐였다. 얼굴이 늘 어두워 보였기 때문이다. 그런 인상 때문인지 살면서 종종 이런 경험들이 있긴 했었다. 그들은 조상님께 제사를 지 내야 한다는 얘기들을 했다. 복이 많다면 아버지의 잦은 외도와 엄마 의 힘겨운 삶을 보며 살아온 내 삶은 어떻게 설명하려나. 조상님께 제 사를 지내면, 죽은 자들이 산 자들의 삶을 책임져 준다는 말인가. 그렇 다면 살아서 괴로움이었던 내 부모들. 그들이 죽어 그들을 위해 제사 를 지낸다면 죽고 난 후에는 나를 위해 혹은 내게 자식이 생긴다면 그 후손들에게 무언가를 해 준다는 말이야? 뭘 안다고 처음 본 사람에게 저런 말들을 할까. 아침부터 저러고 다니는 이유가 뭔지, 대체 그렇게 해서 본인에게 얻어지는 게 무엇인지 마치 사기라도 당한 듯한 기분이 들었다. 삶으로부터 사기당한 기분으로 살아가는 내게 그 여자는 자신의 목적을 위해 맞으면 좋고 아니면 말고 식으로 아무 돌이나 던져 버린 것이다.

순식간에 엉망이 된 기분으로 방황하듯 서점을 두리번거리다 베스트 셀러 책장에서 쇼펜하우어 명언 집을 겨우 구매하고 서점을 나왔다.

약속 장소로 가기 위해 그 길을 다시 걸어가는데 배낭을 메고 머리를 묶은 아까 그 여자가 어떤 남학생에게 말을 걸고 있는 것이 아닌가. 저렇게 낚시질하러 다니느라 신발이 그렇게 닳았나 보다. 달려가서 따지고 싶었지만, 한편으로는 측은한 마음이 들기도 하였다. 불쌍한 사람 같으니라고. 그녀와 순간 눈이 마주치자, 그녀는 아까 나에게 말 걸었던 걸 전혀 기억 못 하는 듯, 마치 나를 처음 보는 듯한 표정을 지었다. 내 좋은 아침 기분을 망치게 하고는 아무렇지 않게 본인 할 일을 마저 하다니 또 화가 났다. 마치 배우가 연기하는 중 NG가 나서 다시 연기하듯 나는 조금 전 그녀와 함께 연기 호흡을 맞춘 것처럼 느껴지기까지 했다. 아침부터 저렇게 포교 활동을 하기 위해 머릿속으로 얼마나 많은 그림을 그려보고 대사를 외웠을까. 거절하는 사람과 받아들이는 사람에게 다음 대사는 무엇으로 해야 할지 각본이 다 있겠지.

그런데 그런 그녀를 다시 보자 그녀로 인해 좋았던 기분을 망친 것이 조금 억울하기도 했다. 나도 NG가 난 장면을 다시 이어나가듯 좋은 기분을 다시 찾아 이어 가면 되는 것일 텐데. 아무 중요치 않은 삶의 엑스트라와 같은 이로 내 감정을 소모할 필요가 없는데 말이다.

그런 생각이 들자, 그녀를 보며 상했던 기분이 조금은 복구되는 듯했다. 그래 오랜만에 지희 만나러 가는 길이다. 신경 쓸 필요 없다. 나는 다시 좋은 기분을 찾아가며 약속 장소로 걸어갔다.

약속 시간 되기 전이었지만 지희는 카페 앞에 먼저 와 기다리고 있었다.

다니던 회사에서 정규직으로 전환 된 지희에게 맘껏 축하 인사 해주지 못하고 지내다 한 달 만에 만나는 지희를 보자 어색함을 감추기 위해 더 반가운 듯한 표정으로 손 인사를 하며 밝게 웃어 보였다. 지희 역시 나를 보자 잘 지냈냐는 말과 함께 환하게 웃으며 반겨준다.

나는 지희의 이런 모습이 좋다. 고맙다. 때로는 다소 서툰 듯한 나의 감정과 모습에도 지희는 있는 그대로 나를 대해주고 불편함을 주지 않는다. 내게 늘 그럴 수도 있다고 하며 무언가를 강요하지 않는다. 가끔 지희에게서 듣는 지희의 다른 생활의 모습을 들을 때면 지희는 내게만 그래 주는 것 같다. 그래서 고마운 친구이기도 하지만 한편으로는 내가 어려워서 그러는 걸까, 내 아픔을 알아서 그러는 건가 하는 생각을 하기도 한다. 지희에게 불편한 부모님과의 관계나 불안한 나의 심리에 대해 자세히 얘기한 적은 없다. 다만 오랜 시간 지내왔기에 지희도 어느 정도 나에 대해 짐작하고 있으리라 생각한다. 나 역시 지희에게 내 생각만을 주장하거나 대립하는 생각을 내세우지 않는다. 인간관계는 한쪽만의 노력이 아닌 서로 노력해야 유지되는 것을 잘 안다. 물론 같이 노력해도 어려운 관계가 있지만 그런 면으로 볼 때 지희와 나는 서로 잘 맞기에 관계 유지가 잘 되어 왔을 것이다.

우리가 만난 카페는 함박스테이크로 유명한 카페다. 외관은 고전적이지만 내부는 모던한 스타일이 마음에 들었다. 우리는 기본이 되는 클래식 함박스테이크를 주문하고 음식이 나오길 기다리는 동안 아침에 있었던 일을 지희에게 들려주었다.

지희는 재미있기도 하면서 황당하다는 표정으로 얘기를 듣는다.

"내가 같이 있었어야 했는데. 당신들 수법 다 안다, 조상님 어쩌고 저쩌고하면서 결국 제사비 요구하려는 거 아니냐, 조상님께 제사 지내면 일이 잘 풀리는지 만약 풀리지 않으면 책임질 수 있느냐며 피곤하게 했을 텐데 말이야."

지희는 까르르 웃으며 얘기했다.

대화의 소재가 된 아침의 일은 이제 완전히 웃어넘기는 일이 되었다. 사기당한 것 같았던 아침의 기분은 아까 그녀를 다시 만났을 때 1차로 희석되었고 지희와 얘기하며 완전히 정수되었다.

살아가며 별일 아닌 일들이 별일인 것처럼 많은 지분을 차지하고 있는 경우가 얼마나 많을까. 필요 이상의 에너지를 별일 아닌 일들에 얼마나 많이 낭비하며 살아가고 있을까.

음식이 나오자, 지희가 사진 찍을 수 있도록 잠시 기다려 줬다. SNS를 하지 않는 나는 음식사진을 찍고 하루의 일상들을 공유하는 모습들을 잘 이해하지 못한다. 그렇다고 그런 일로 지희와 충돌한 적은 없다. 다만 나에게 있어 자신의 삶을 여럿과 함께 공유하는 문화가 매우 불필요하게 느껴질 뿐이었다. 딱히 공유하고 싶은 일들도 없고 알리고 싶은 소식도 없으니까.

함박스테이크는 생각보다 더 맛있었다. 화려함 없는 심플한 차림이지만 함박스테이크 본연의 할 일을 다 한 맛이었다. 그래. 기본에 충실하면 되지. 너무 화려하면 본질이 가려진다.

식사하며 지희의 직장 얘기를 묻고 싶었다.

정규직 전환은 원래 지희가 아닌 같은 계약직이었던 선배가 될 거였는데 갑작스러운 사고로 지희가 된 것이다. 아침 출근길 음주 운전자로 인한 교통사고였다고 했다.

전에 지희는 선배가 없었으면 본인 차례가 일찍 올 텐데 선배 이후에나 될 것 같다고 한 적이 있었다. 참으로 아이러니한 인생이다. 지희 역시 원하던 정규직이었지만 그렇게 되도록 까지 바라지는 않았다. 선배의 장례가 다 치러진 후 지희는 선배의 자리가 이제 내 자리가 될 거라는 게 참 이상하다며 복잡한 마음을 얘기했었다.

"회사는 어때?" 지희의 눈치를 살피며 조심스럽게 물었다.

"괜찮아. 모든 게 원래 그래 왔던 것처럼 당연한 듯 익숙해"

"다행이야. 그 분에겐 슬픈 일이지만, 네게 제대로 축하도 못 해 줬어."

지희는 희미하게 웃어 보이며 얘기한다.

"뭘. 축하받는 것도 불편했어. 누군가의 끝이 내 시작이 됐다는 게."

지희는 말끝을 흐린다.

본인 의향에 상관없이 그렇게 삶이 마감된 지희 선배를 떠올리며 끝내고 싶은 관계와 끝났으면 하는 삶이 생각나 나는 말했다.

"나는 내 인생을 잘 끝낼 수 있을까? 끝까지 잘 이뤄낼까?"

"끝나봐야 알겠지. 끝까지 가봐야 알 수 있는걸. 그렇지만 너는 잘하고 있어."

내게 응원 해주듯 지희는 말했다.

"삶은 참 아이러니 같아. 시작과 끝, 모두 내가 선택할 수 없어. 그런데 살아가면서는 끊임없이 무언가를 선택하며 살아야 해. 나고 안 나고는 내 선택이 없지만 마지막은 선택할 수 있도록 인생이 설계되어 있다면 좋을 텐데."

물 한 모금 마시며 내가 말했다.

"그건 조금, 아니 많이 위험하지 않을까? 그러면 많은 사람이 힘든 일이 있으면 바로 삶을 끝내버리려 할 거 같아."

지희의 말에 나는 고개를 끄덕이며 말한다. 엄마도 그랬으니, 누구보다 잘 안다. 끝내고 싶은 이에게 끝이 나지 않았다는 건 다행일까 불행일까. 다만, 실패로 끝난 엄마의 끝이 내게는 너무도 다행이었다.

"그러려나? 그래 그럴지도 모르겠다. 나는 자살에 대해 그런 생각이 들어. 끝내버리려는 그 순간 자신의 선택을 후회하면 어떡해. 너무 괴로워 투신 하기 위해 몸을 내 던졌어. 그런데 몸을 던진 그 순간 자신의 선택을 후회하면 어떻게 하지. 죽도록 살기 싫었는데 몸을 던진 그 순간 갑자기 죽도록 살고 싶어지면. 죽고 싶을 만큼 힘든 일들이 떠 오르며 좀 더 살아볼걸. 혹은 소중했던 사람들과의 시간이 너무 그리우면. 삶이 너무 견디기 힘들어서 목을 매달았는데 숨이 조여오는 고통의 마지막 순간에 자신의 그 선택을 후회하면 얼마나 더 괴롭고 고통스러울까 하는. 죽음을 앞에 두고 살아야겠다는 본능적 욕구가 아닌 삶이란 본질을 그제야 깨닫게 된다면 말이야."

지희는 자살하는 사람들에 대한 안타까움과 별생각을 다 한다는 표정으로 나를 바라보며 말한다.

"그러게 말이야. 얼마나 힘들면 그런 선택을 할까 생각해. 정말 안타깝고 슬픈 일이야. 만약 주변에서 그런 일이 생긴다면 남은 사람들은 어떻게 견디며 살아갈지 그것도 너무 가슴 아파. 스스로 삶을 끝낸 건 아니지만 회사 선배의 죽음도 너무 충격이었어. 아주 가깝진 않았지만 그래도 서로 나쁜 사이는 아니었거든. 선배의 정규직 전환 소식에 정말 진심으로 축하해줬고. 선배 장례식장에서 그 가족들을 보는데 지금도 생각하면 눈물이 나려 해"

말하는 지희의 눈시울이 조금 붉어졌다.

태어남이라는 시작을 축복하며 죽음이라는 마지막을 슬퍼하는 인간의 삶.

무거운 주제의 대화가 갑자기 우리의 분위기를 어둡게 했는지 잠시 말없이 서로 식사에 집중했다.

식사를 마치고 지희는 미안해하며 그만 일어나야 한다고 했다. 원래 점심만 함께 하기로 하지 않았냐며, 아침에 구매한 책 좀 읽다 일어날 테니 걱정 말라는 말로 지희가 편한 마음으로 일어나도록 안심시켜 주었다.

식사한 접시들을 정리한 후 커피를 주문하고 책을 펼쳤다.

쇼펜하우어. 그에 대해 아는 건 염세주의자에 여성 혐오주의자라는 것뿐이다.

'태어나지 않는 게 최선이다. 만약 태어났다면 스스로 목숨을 끊는 게 차선이다.' 반은 맘에 들고 반은 무책임한 말 같다. 이런 말 한 사람 치고 제법 장수한 거로 알고 있다. 베를린에 콜레라가 만연했을 때 베를린에서 탈출했다는데 이건 정말 자신의 사상과 모순되는 행동 아닌가? 오늘, 이 책을 선택한 이유는 삶이라는 주제를, 삶이라는 과제를 이 철학자는 어떻게 풀고 설명했는지 궁금했다. 과거에도 현재에도 삶은 여전하며 어떤 이들에게는 이해하기 힘든 괴로움이다.

주문한 커피의 진동벨이 울려 커피를 가지러 갔는데 아까 아침의 그녀가 음식을 주문하고 있었다.

'뭐야. 진짜 오긴 왔네.' 그녀와 마주치게 될까 봐 그녀에게 시선을 두지 않고 커피를 들고 빠르게 자리로 돌아와 앉았다.

따뜻한 커피를 호호 불어 한 모금 마시고 본격적으로 책을 읽기 위해 책장을 펼쳤지만, 자꾸 그녀가 신경 쓰였다.

'설마 이리로 와서 아까처럼 말 걸지는 않겠지. 여기서도 누군가에게 낚시질하는 건 아니겠지.'

그녀에게 들키기라도 할까 봐 고개를 숙여 책 속의 글자에 집중하려 했다.

"같이 앉아도 돼요?"

이런. 그녀는 주문한 영수증과 진동벨을 들고 내 앞에 서서 물어보고 있었다. 난감한 표정으로 안 된다고 말하려 입을 벌리려는 순간 그녀는 재빠르게 말을 이어갔다.

"아까는 죄송했어요. 그냥 혼자 앉아 먹는 것 보다 누군가와 같이 앉아 있고 싶어서요."

이상했다. 싫지만 그녀의 마음이 이해되기도 했다. 사람이 불편하지만 가끔은 누군가 함께 있었으면 할 때가 있었다. 머뭇거리는 나를 보자 그녀는 가방을 내려놓으며

"아까 같은 말은 하지 않을게요" 하는 것이다.

아 이럴 때는 어떻게 해야 하는 건가요. 쇼펜하우어여.

마음과 다르게 내 손은 이미 그녀가 앉도록 커피잔을 내 쪽으로 끌어당기고 있었다.

잠시 어색함이 감돈다. 하지만 전혀 모르는 사람과의 어색함이라 참을 만했다. 낯선 사람과는 원래 어색한 거니까. 같은 테이블에 앉았을 뿐 그녀는 식사하고 나는 책을 보고 각자 할 일을 하면 되는 거니까.

진동벨이 울리자, 음식을 가지러 그녀가 다녀온다. 애써 무심한 듯 책 읽기를 이어 가고 있었다. 반쯤 식사를 한 그녀가 말한다.

"맛있네요, 함박스테이크. 알려주셔서 감사해요."

나는 옅은 미소와 함께 고개를 끄덕이는 걸로 대답을 대신했다.

"쇼펜하우어 아버지 자살한 거 알아요? 꽤나 잘 살았대요. 아버지가 남겨준 재산 덕에 철학에 집중할 수 있었다고 해요."

그 옛날에 부유한 고뇌 자가 또 있었구나. 하긴 삶의 고통은 꼭 물질적 결핍으로만 오는 게 아니니까.

가만히 얘기 들으며 그녀를 자세히 살펴보았다. 화장기 하나 없는 그녀는 미인형 얼굴이었다. 자신의 미를 감추기라도 한 듯 생긴 거에 비해 수수한 차림이다. 바짝 자른 손톱과 스웨터 안에 입은 구김 없는 연노랑 셔츠, 닳긴 했지만 깨끗이 세탁된 운동화는 그녀의 정갈함을 대변해 주고 있었다. 하나로 묶은 헤어 스타일은 분명 흐트러지는 머리카락을 정돈하기 위함일 것이다.

식사하는 중간중간에도 입 주변을 정리하였고 입에 음식물이 있는 채로는 말하는 법이 없었다. 하지만 아침에 그녀에게서 느꼈던 느낌은 여전했다. 다만 아까는 무언가 속고 있는 듯한 느낌이었다면 지금은 몸은 이곳에 있지만 정신은 다른 곳에 두고 있는 느낌이었다. 무언가 사연이 있는 듯한 그녀에게 갑자기 호기심이 생기기 시작했다. 그리고 무엇보다 말할 때 가끔 눈썹을 추켜세우고 미간을 살짝 찡그리는 듯한 그녀의 표정이 묘하게 끌렸다.

"아침부터 무슨 일을 하고 다니시는 거예요? 특별히 어떤 스타일의 사람을 정해놓고 그러시는 거예요?"

그녀에 대한 호기심에 거침없이 질문하였다. 낯선 사람에게서 느끼는 편안함이었는지도 모르겠고 왠지 그녀에게 그렇게 대놓고 질문해도 될 거 같았다.

솔직한 내 질문에 그녀도 거부감 없이 대답했다.

"딱히 그런 건 아니지만 무언가 힘들어 보이는 사람에게 말을 걸긴 해요."

약간 어이가 없었다. 마치 말기 암 환자에게 약 팔이 하듯 한다는 거 아닌가. 그런데 속을 들킨 것 같은 기분이 들어 다시 물었다.

"제가 힘들어 보였나요?"

"네. 어떤 아픔이 느껴졌어요."

아픔이 느껴졌다. 아픔을 들킨 나는 살짝 당황했다. 그렇다면 그녀에게 느꼈던 알 수 없는 마음은 나 또한 그녀의 아픔을 느낀 건가?

"그러셨군요. 맞아요. 잘 보셨어요. 그런데 이렇게 말 하면 저를 당신이 믿는 종교로 데려갈 건가요? 당신도 아픔이 있어 보이는데요"

그녀에 대한 경계가 해제되었음을 들키지 않으려 경계하는 듯 내가 물었다.

그녀는 두 눈과 입꼬리를 살짝 올리며 걱정 말라는 듯 가벼운 웃음을 짓는다. 아니 웃음을 흘린다. 마치 넘칠 듯 말 듯한 물이 담긴 물컵에 뚜껑을 덮자 살짝 물이 흐르듯. 여자인 내가 봐도 매력 있는 미소였다.

하지만 그 미소 후 바로 웃음기 가신 얼굴로,

"1년 전 아이를 잃었어요. 영아 돌연사 증후군으로 태어난 지 125일 만에."

마치 말하기 어려운 진실을 최대한 빠르고 간단하게 전해주려는 듯 그녀는 말했다.

갑자기 연극의 한 막이 끝나 극장 안이 암전된 듯한 기분과 공허한 가슴속에 커다란 바윗덩이가 쿵 하고 내려앉은 느낌이었다. 무슨 말을 해야 하고 어떤 표정을 지어야 하며 그녀를 바라봐도 될까 싶었다. 무례한 질문에 죄책감마저 들어 멈춘 듯 멍하니 있는 내게 그녀가 먼저 말했다.

"그런 표정 짓지 않아도 돼요. 같은 고통은 아니지만 누구나 아픔이 있잖아요."

그렇게 말하는 그녀의 모습에 더 마음이 무거워졌다. 당연히 누구에게나 아프고 힘든 일들과 사람마다 다르지만 각자 짊어지는 삶의 무게와 매여진 사슬들이 있다. 아이를 낳거나 결혼을 해보지 않았지만, 자식을 잃은 엄마의 고통을 무엇으로 표현할 수 있을까.

어린 시절 자살 시도로 병원에 입원한 엄마를 보며 제발 엄마가 살아만 있기를 간절히 바랐었다. 아빠의 잦은 외도와 그로 인하여 불안했던 엄마. 죽음은 늘 주변을 맴돌고 있었고 그런 엄마를 보며 엄마가 죽으면 나도 죽을 거야 하면서도 가끔은 죽는 게 편할지도 모르겠다 했었다. 죽음이란 내게 두려움이면서 기다림이었다. 살아오면서 죽음에 대해 많이 생각해 봤지만 나는 아직 가까운 사람의 죽음을 겪어보지 않았다.

그녀는 나를 보며 말하고 있지만 먼 허공을 보고 말하듯 시선은 내게 없었다. 나와 함께 있지만 혼자 앉아 말하듯. 그제야 아까부터 그녀에게서 느꼈던 영혼 없는 듯한 그녀와의 대화를 이해할 수 있었다.

"아이를 잃고 한동안은 집 밖을 나가지 않았어요. 몸과 마음은 피폐해졌고 남편과의 사이도 점점 멀어졌죠. 어느 날 산송장 같은 저를 보며 참다못한 남편은 크게 화를 내며 나가더라고요. 힘든 건 그 사람도 마찬가지였을 텐데. 그제야 거울을 들여다보니 몰골이 말이 아닌 거예요. 그냥 죽어버릴까 하다 무슨 생각인지 아무 옷이나 걸쳐 입고 집을 나와 하염없이 걸었어요. 그렇게 걷다 누군가 제게 말을 걸더라고요. 오늘 제가 그 쪽에게 말 걸었던 것처럼." 그녀는 헛웃음 같은 웃음을 한 번 짓더니 계속 말을 이어갔다.

"알아요. 다 거짓말이고 쓸데없는 소리라는 거. 하지만 저는 뭐든 해야 했어요. 이렇게 나와서 그저 누군가와 함께 얘기하는 게 좋아요."

"자주 이렇게 나오나요? 대부분 외면하고 호의적이지 않을 것 같은데, 모르는 사람들을 만나서 단지 얘기만 하기에는 너무 많은 에너지가 들어가는 거 아닌지도 궁금하네요." 내가 물었다.

"자주는 아니고 그저 기분 따라. 모두 호의적이지 않죠. 욕을 하는 사람도 있고 대부분 무시해요. 그러다 가끔 대화하는 사람이 있어요. 내 사정을 모르는 사람들과 얘기하는 게 나를 아는 사람들과 얘기하는 거보다 편해요. 날 챙겨주고 신경 써 주는 이들이 고맙기도 하지만 때론 더 힘들기도 해요. 슬픔에 더 집중하게 되고. 내 아픔을 건들이기라도 할까 내 눈치를 살피는 그들에게 미안하기도 하고요."

"남편분도 알고 계세요?"

"남편도 알고 있어요. 하지만 뭐라 하지는 않아요. 오히려 이렇게라도 지내니 다행이다 싶은가 봐요. 그리고 많은 사람이 다양한 아픔을 가지고 살아가는 걸 알았어요. 저는 4개월가량 품었던 아기를 잃었지만, 어떤 사람은 십몇 년을 키웠던 자식을, 어떤 사람은 부모를, 누구는 배우자를, 죽었는지 살았는지 생사조차 알지 못한 채 가족을 잃은 사람들. 이 카페에 있는 사람들과 광화문 거리를 걷는 수많은 사람, 다들 사연 없는 사람들 없을 거예요. 모두 뭔가를 가슴에 짊어지며 살아가죠. 누군가의 아픔으로 내 아픔이 위로되기도 하고, 나의 아픔이 누군가에게 위로가 되기도 하더라고요."

아픔이 아픔으로 위로가 된다⋯⋯ 그녀의 사연이 내게도 위로가 되는듯했다.

오늘 오전에 처음 만난 그녀에게서 너무 다양한 감정을 느낀 나는 마치 아주 오래전부터 알아 오던, 서로에게 감출 것 없는 깊은 사이가 된 것 같았다. 그녀의 어떤 사연도 이해해 줄 수 있고 드러내고 싶지 않은 내 어떤 이야기를 건드려도 아프지 않을 것 같았다.

잠시 생각에 잠긴 후 내 사연도 털어놓으려 하는데 그녀의 휴대폰에서 알람 소리가 울렸다. 그녀는 알람 화면을 옆으로 밀어 내며 그만 자리에서 일어나겠다고 한다. 어느 한 곳에 오래 머물지 않기 위해 자리를 잡으면 알람 설정을 해 놓는 습관이 있다고 했다.

"그쪽도 무슨 사연이 있는지는 모르지만 힘내서 살아가길 바라요. 이유도 답도 알 수 없는 일들이 많지만 그래도 살았으니 살아가야죠."

여전히 공허한 듯한 표정으로 이 말을 하고 인사를 하며 그녀는 카페를 나갔다.

그녀가 나간 후 아무 생각 없이 한동안 가만히 앉아 있었다. 그녀가 겪은 힘겨운 일들은 치유되어 보이지 않았다. 아픔을 잊기 위해 걷고 누군가를 만나 서로의 사연들을 나누고. 그런다고 그녀의 상처와 아픔들이 없어지지는 않았을 것이다. 소중한 이를 잃은 아픔이 잊히고 치유가 되겠는가. 그녀의 말처럼 이 카페와 거리의 많은 사람들 사연이 없는 사람이나 사연이 없는 삶은 단 한 명도, 단 하나도 없다. 모두 그녀처럼 그저 함께 안고 살아간다. 그녀의 말처럼 뭐든 해야 했기에 뭐든 하며 살아들 가고 있다.

나는 항상 방황했었다. 문틈으로 들어오는 작은 바람에도 꺼질듯한 촛불이었다. 하지만 생각해 보니 아프지만 아픈 기억을 되새기고 아픈 기억으로 살아가고 때로는 그 아픈 기억이 힘을 주기도 하였다.

삶은 제비뽑기가 아닐지 생각할 때가 있었다.

그렇다면 내가 뽑히지 않길 간절히 바라는 수밖에 없거나, 내가 뽑히길 간절히 바라거나.

인생이란 이해하는 것이 아니라 그저 받아들이는 것임에 순응하듯 뽑혀버린 삶에 각자의 노력을 더 하여 살아가고 있다.

내가 그동안 살아온 삶도 그런 노력의 결과였고 오늘 내가 집을 나와 지희를 만나기 위해 지하철과 거리를 걸으며 스쳤던 많은 사람과, 함께 대화 나눈 그녀도 각자가 노력한 결과다. 잘했든, 못했든 모두 존재하기 위해 행했던 노력의 결과다.

이미 존재해 버렸기에 존재를 위해 꾸역꾸역 이든, 마지못해서든 열심히 애쓰고 있다.

삶에 답이 있을까? 답은 없다. 누가 답을 낼 수 있단 말인가? 답은 그저 내가 내리는 것이다. 끝까지 견디며 살아낸 내가 그 답이 되는 것이다.

나는 식어버린 커피를 들이켜며 생각했다. 아버지에 대한 미움과 원망, 불안한 엄마를 보며 살아온 불안한 내 자신을 굳이 이해하려거나 애써 외면하려 했던 내 삶의 모든 것들을 조용하고 평안하게 들여다보았다. 그리고 또 생각했다.

봄이 오면 나무에 연한 새싹이 나고 붙잡고 싶어도 계절은 가고 또 계절이 오는 그저 순리에 맞춰 흘러가는 만물처럼. 지금 내가 앉은 테이블에 커피잔이 있고 오전에 구매한 책이 있고 의자가 있듯 사물이 모두 그 자리에 있는 것처럼, 그냥 그 자리에 있는 것이다.

애써 부정하며 나를 괴롭힐 필요가 없게 느껴졌다. 내가 앉은 이 테이블은 내 의지로 이곳에 놓인 것이 아니다. 하지만 내 책은 내 의지로 사서 테이블 위에 올려져 있다. 삶은 내가 한 것도 내가 하지 않은 것도 있다. 왜 그러냐고, 왜 그래야만 하냐고 굳이 이유를 물을 필요는 없다. 그건 삶의 본질이 아니다. 잘하든 못하든 난 그저 내 할 일만 하면 된다. 그저 내 자리에 있으면 된다.

엉켜있던 생각이 정리된 기분이 들어 테이블을 정리하고 짐을 챙겨 카페를 나왔다.

아침과 다르게 오후의 햇살은 다소 덥게 느껴지기까지 했다.

재킷을 벗어 한 손에 걸치고 지하철역으로 향했다. 플랫폼에 이르렀을 때 도착했던 열차는 문이 막 닫히고 있었다. 문 앞에 서서 닫힌 열차 문을 통해 열차 안을 보았는데 한 손에는 스웨터를 걸치고 단정하게 연노랑 셔츠를 입은 그녀와 눈이 마주쳤다. 열차는 천천히 출발하였고 각자의 자리에서 우리는 서로 부드러운 미소를 보이며 마지막 인사를 하였다.

몽상미생

에그

에그

10년차 회사원이지만 그저 회사원으로 남지 않기 위해 매일 부단히 노력한다. 그 노력의 일환으로 5년이 조금 안되는 시간동안 을지로에서 '몽상미생'이라는 이름의 와인바를 운영한 이력이 있다. 와인바를 접고 회사생활에 매진하는 지금, 여전히 와인을 즐기지만 요즘엔 어쩐지 위스키에 더 손이 간다.

완벽하지 않는 내 모습을 이제서야 조금씩 받아들이며, 미래에 내가 될 다양한 모습을 꿈꾸며 살고 있다.

instagram: @daydreaminants, @thinkingegg0

그들이 들어온 건 5년 전 초여름이었다. 한동안 불편함 없이 살고 있었는데 또 다시 신경 쓰이는 생활이 시작될 것이다. 형식은 을지로 오래된 건물의 옥탑방에서 산다. 모든 게 끝나버렸던 그때 육촌 형님의 배려로 들어오게 된 공간이다. 들어올 때만 해도 딱 반년만 신세를 지고 떠나리라 생각했지만 금세 2년이 훌쩍 지났다. 머쓱한 마음은 점차 무뎌졌고 생활은 익숙해졌다. 가끔은 지금의 생활이 꽤 만족스럽게 느껴지기도 했다. 다행인지 형님도 옥탑방에 있는 형식의 존재에 무뎌지고 익숙해진 듯했다. 그리고 또한 가끔은 만족스러워하는 것 같기도 했다. 낡은 건물에 돈을 들이고 싶지 않아 매일 퇴근길에 건물에 들러 이것저것 손보는 게 여간 귀찮은 게 아니었는데, 형식이 그 일을 자처해서 묵묵히 대신해 주었기 때문이었다.

　작은 인쇄소의 사무실로 쓰였던 3층은 꽤 오랫동안 비어있었다. 건물주인 육촌 형님은 고민이 이만저만이 아니었을지 모르나 형식 입장에서는 그저 편안하기만 했다. 건물 구조상 옥탑방은 3층의 화장실을 함께 써야 하는 입장이었기 때문이다. 옥탑방에는 그야말로 구색만 갖춘 욕실만 있었는데, 잘은 모르지만 아마 이 옥탑방 자체가 합법적인 구조물은 아닐 수도 있겠다고 형식은 생각했다. 하필이면 화장실은 사무실 문과 마주 보는 위치에 있어, 3층 사무실 사람들을 최대한 마주치지 않기 위해 형식은 낮 동안 되도록 밖에서 시간을 보냈다. 억지로 나간 시간 동안 특별히 무언갈 하지는 않았다. 정처 없이 거리를 걷다 보면 형식의 의지와는 상관없이 거리의 사람들, 가게들, 광고들이 시야에 들어왔고, 그러다 보면 또 형식의 의지와는 상관없이 이런저런 생각들이 머릿속에서 뜨고 지길 반복했다. 그럼 그 생각들을 물끄러미 지켜보며 계속해서 걸었다. 반복해서 떠오르는 장면은 A가 마지막으로 떠나는 순간이었다. 얼굴에 띤 건 분명 미소였는데, 형식은 그 미소에서 그간 A가 지나온 마음의 궤적이 보이는 듯했다. 답답함, 분노, 체념 그리고 그 끝에 다다른 내려놓음. 그 미소를 마주한 순간 형식은 심장이 쿵 내려앉는 듯했었다. 사무실이 나가면서 형식의 외출도 뜸해졌다. 공허한 편안함. 형식은 다소 모순적인 감정을 느끼며 다시금 옥탑방에 틀어박혔다.

　그런데 그 편안함을 깨고 3층에 누군가가 들어온 것이다. 달갑지 않았지만 그렇다고 내색할 수도 없는 것이 지금 형식의 처지였다. 형님에게 언뜻 듣자 하니 카페 비슷한 걸 한다는 것 같았다. 요즘 동네에 유독 지나다니는 젊은 층이 늘어나긴 했더라만 그래도 이 건물은 좀 너무 낡지 않았나 싶었다. 심지어 찾아오기도 힘든 위치 아닌가. 월세가 아무리 싸다고 해도 가게는 목이 중요할 텐데. 형식은 아직 마주치지도 않은 3층 입주자를 향해 텔레파시라도 쏘듯 안 될 것 같은 이유를 머릿속으로 나열해 댔다.

새로운 3층 입주자를 처음 마주친 건 형님으로부터 계약을 마쳤다는 소식을 전해 들은 후 이 주 정도가 지난 후였다. 오래된 인쇄소들이 모여있는 이 골목은 마치 이 시대 직장인의 모습을 보는 듯했다. 평일이면 인쇄물을 가득 싣고 골목골목을 누비는 오토바이와 바쁜 걸음으로 지나다니는 사람들로 정신없이 활기찼다가, 주말이면 모든 에너지가 소진되어 충전의 시간을 가지는 것처럼 고요해졌다. 덕분에 날짜 감각 없는 나날을 보내는 형식조차 대충의 요일 정도는 어쩔 수 없이 체감하며 지냈다.

주말의 늦은 오후, 원래 같았으면 옥탑방에서 들리는 소리라고는 동네 고양이들 울음소리가 전부여야 하는데 어디선가 음악 소리가 들려왔다.

'3층 사람이구나.'

아무도 없는 방에서 형식은 누군가의 시선을 의식하기라도 한 듯 뉘어있던 몸을 고쳐 앉았다. 편안함이 순식간에 가신 걸 느끼며 형식은 자기도 모르게 소리에 집중했다. 대화를 나누는 소리, 노래를 흥얼거리는 소리, 문을 여닫는 소리, 계단을 오르내리는 소리를 들었다. 때가 되면 해결하러 나갈 수밖에 없는 생리현상을 참고 참다 화장실에 내려가 볼일을 보고 부랴부랴 계단을 다시 올라가던 순간, 3층의 문이 벌컥 하고 열렸다.

"아, 안녕하세요…!"

페인트가 옷과 얼굴, 심지어 머리카락까지 묻은 채 형식에게 인사를 건넨 건 이영이었다.

"아 네."

인사를 받았음을 표시한다, 형식은 딱 그 정도로만 답을 하고는 이영이 소개를 할 틈도 없이 오르던 계단을 마저 올랐다. 언뜻 본 이영은 딱 봐도 앳되어 보였다. 아마도 처음으로 가게를 차리는 것이리라. 곧이어 문이 열리는 소리가 들렸고 대화 소리도 들렸다. 저 친구 혼자 하는 게 아닌가 보다. 동업 그거 쉬운 거 아닌데. 하긴, 지금 뭘 알겠나. 형식은 또 한 번 머릿속으로 부정적인 오지랖을 부리다 그런 자신이 조금 우습게 느껴졌다.

두 번째로 그들을 본 건 정확히 일주일 후였다. 근처 백반집에서 늦은 점심을 해결하고 털레털레 걸어오는데 건물 1층에 웬 벽돌들이 이만큼 쌓여있었다. 슬쩍 근처까지 다가가 보니 세 명이 한 층씩 맡아 그 무거운 벽돌을 3층까지 올리고 있었다. 엘리베이터도 없는 건물에 저런 걸 갖다 둘 생각을 하다니.

"헉헉…. 이거 맞아? 우리 이러고 있는 거 왜 이렇게 웃기냐, 킥킥"

"야 누가 벽돌 인테리어 하자고 했어?!"

"막상 하면 느낌 있을 거야 벽돌……! 하하하!"

딱 봐도 중노동에 가까운 일인데 셋은 뭐가 그리 즐거운지 연신 웃음소리가 끊이질 않았다. 형식은 잠시 도울까 생각하다 금세 마음을 접고는, 벽돌 옮기기가 끝날 때까지 마주치지 않도록 동네를 몇 바퀴 더 돌았다. 스치듯이 들은 웃음소리가 왜인지 계속 머릿속에 맴돌았다.

그 후로도 서너 번의 주말을 형식은 약간의 소음 속에서 보냈다. 어느 날은 테이블과 의자들이 줄줄이 올라갔고 어느 날은 무슨 공사를 하는 건지 드릴 소리가 한참이나 들렸다. 업소용 냉장고가 들어온 날에는 이런 엘리베이터 없는 건물은 배송비 2만 원을 더 줘야 한다는 배송 기사의 짜증 섞인 말투와 난처해하는 이영의 목소리가 들렸다. 평일에 계단을 오가다 보면 3층 문 앞에 간간이 택배 상자가 쌓여있는 걸 볼 수 있었고 주말이면 사라졌다.

어느 주말 하루, 자정을 넘은 지 두어 시간이 지난 새벽 시간에 형식은 불현듯 잠을 깼다. 다시 잠들 기색 없이 어두운 방에서 눈만 끔뻑이며 누워있자니 배에서 꼬르륵 소리가 났다. 그러고 보니 낮에 냉장고에 있던 남은 콜라를 들이킨 것 외엔 먹은 게 없었다. 배고픈 기분마저 귀찮다고 느끼며 형식은 뭐라도 사러 집을 나섰다. 계단을 내려와 무릎 높이까지 내려와 있는 셔터를 밀어올리자 한편에 비스듬히 놓인 쿠팡 프레시백 두 개가 눈에 들어왔다.

서울 0구 000로0길 301호 몽**생

'3층 택배구나.'

아마도 건물 셔터가 내려가 있어 배송원이 3층까지 올라오지 못하고 애매하게 두고 간 걸 테지. 형식은 일단 외면하고 가던 길을 갔다. 하지만 돌아오는 길에 프레시백이 두 번째로 시야에 들어왔을 때에는 차마 모른척할 수가 없었다. 손에 들었던 봉지를 팔에 끼우고 양손에

백을 하나씩 든 채 계단을 올랐다. 그 이후로도 형식은 몇 번이나 프레시백을 발견했고 그때마다 3층까지 날라주었다. 3층 사람들에게 얘기할까, 아님 지하1층 사람에게 셔터를 안 내려도 될 것 같다고 말을 해야 하나 — 항상 셔터를 완벽하게 내리는 것도 아니고 반에서 그것보다 조금 더, 시늉만 하듯이 내려두는 것이, 보안이라든지 하는 특별한 목적 없이 습관처럼 그냥 내리는 듯했다 — 고민하다가 그냥 직접 옮기는 것으로 마음을 정했다. 그들과 구태여 말을 섞기보다 그냥 매번 올려두는 게 형식 입장에서는 덜 번거로운 일이었기 때문이다.

그날도 시야에 들어온 프레시백을 올려다 주던 참이었다. 2층 하고 반 지점 계단에 이르렀을 무렵 3층의 문이 덜컥 열렸다.

"아, 안녕하세요…! 어?"

"아, 이거 저 밖에 있길래 들고 왔어요."

그때 봤던 얼굴이었다. 형식은 프레시백이 왜 자기 손에 들려있는지 이유를 설명해야겠단 생각에 인사도 잊고 대뜸 말을 뱉었다.

"감사합니다! 아 어쩐지. 배송 완료 사진이 문 앞이 아닌데 항상 제대로 와있긴 하길래 뭐지 했어요. 아이고, 매번 이렇게 올려다 주셨구나. 감사해요, 진짜."

이렇게까지 감사 인사를 받으려던 건 아닌데. 형식은 머쓱했지만, 기분이 썩 나쁘진 않았다. 건물주에게 셔터 열어두는 걸 말씀드려보라는 말을 짧게 건네고 옥탑방으로 올라갔다.

사실 형식은 천성이 솔선수범하는 사람이었다. 대학 졸업 후 형식은 작은 마케팅 회사에 입사했고 누구도 시키지 않은 일을 도맡아 하곤 했다. 일머리도 좋은 편이어서 사장은 그런 형식을 좋게 봤고 삼십대 중반에 접어들기 전 팀장이라는 타이틀을 거머쥘 수 있었다. 그러나 빠른 성장에는 언제나 부작용이 따르듯, 형식의 이른 승진이 독이 되는데는 그리 오랜 시간이 걸리지 않았다. 형식은 팀원들의 일 처리도 의견도 신뢰하지 않았다. 지틀러. 그의 성에 히틀러를 갖다 붙인 이 단어가 그만 모르는 그의 별명이었다. 팀원들은 점점 사기를 잃은 채 본인의 아이디어를 가미하지 않는 방향으로 일을 했고, 이는 형식으로 하여금 더욱 사소한 것에 집착하게 만드는 악순환에 빠뜨렸다.

그래도 형식은 괜찮았다. 그를 지지해 주는 A가 항상 옆에 있었기 때문이다. 그때까지만 해도.

여름이 끝물에 다다를 무렵 3층엔 간판이 달렸다. 골목 초입에 새하얀 입간판도 하나 세워졌다. 요즘 가게들은 도무지 이름을 읽을 수가 없네, 하고 형식은 생각했다. 어찌 발음해야 할지 모르겠는 알파벳으로 적힌 간판은 많이 봤는데, 여긴 심지어 알파벳도 아닌 도형으로만 되어있었다. 이래서야 사람들이 오겠나. 이름은 몰라도 도형 위에 적힌 영어로 여기가 와인바라는 건 알 수 있었다. 오픈 시간은 저녁 일곱 시. 일곱 시? 그리고 종료 시간은, 열한 시? 네시간만 열리는 가게라니. 턱없이 짧은 영업시간에 형식은 의아하면서도 약간의 안도감을 느꼈다.

와인바가 열린 후 형식의 예상보다는 많은 손님이 드나들었다. 이 후미진 골목까지 사람들이 찾아오는 게 신기했다. 지나가다 다시 보니 입간판 아래쪽에는 인스타그램 아이디가 적혀있었다. 요즘 젊은 친구들은 다들 인스타를 보고 온다더니 진짠가 보네. 형식은 아무의 눈에도 띄지 않게 슬쩍 아이디가 있는 쪽을 핸드폰으로 찍고는 옥탑방으로 올라왔다.

와인바의 이름은 '몽상미생'이었다. 뭔가 들어본 것 같으면서도 헷갈릴 법한 이름이라고 형식은 생각했다. 게시물마다 '#완벽하지않아꿈꿀수있는우리'라는 해시태그가 달려있었다. 이름의 뜻이려나? 몽상미생은 세 명의 회사원이 모여서 하는 사이드 프로젝트라고 소개되어 있었다. 그래서 영업시간이 그렇게 짧았구나. 일반 요식업계 사람들이 아닌, 과거 형식의 신분이기도 했던 회사원들이 차렸다고 하니 약간의 친밀감이 느껴졌다. 퇴근 후의 고단함을 이겨내고 가게를 운영하겠다는 마음을 먹은 걸 보면, 그걸 마음먹기에 그치지 않고 실현까지 한 걸 보면 꽤 열정이 넘치는 친구들이지 싶었다.

지금은 전혀 상상할 수 없는 모습이지만, 형식 역시 누구 못지않은 열정으로 일하던 사람이었다. 팀장이 된 지 얼마되지 않아 형식은 과감히 퇴사 카드를 꺼내 들었고 A와 회사를 차렸다. 아래로는 미덥지 않은 팀원들에 더해, 위로는 실무를 알기는 하나 싶은 사장의 현실 감각 없는 업무 지시에 이골이 났다. 7년 차쯤 되니 업에 자신감도 한껏 붙은 상태였다. 새로 차린 회사에서 형식은 영업과 마케팅을, A는 개발 업무를 맡았다.

입사 후 처음 떠난 포르투갈 여행에서 만난 A는 형식이 다니던 회사의 소위 경쟁사라고 불리던 회사의 개발자였다. 직무는 달랐지만 같은 업계인지라 대화가 수월했다. 기본적으로 일 욕심이 어느 정도 깔린, 커리어에 대한 태도마저 비슷했던 둘은 한국에 와서도 종종 만나 일 얘기, 회사 얘기를 했다. 대화의 끝은 언제나 '그냥 우리끼리 회사 차려?!' 였는데 그 말이 말 그대로 현실이 된 것이다.

첫 계약을 따낸 미팅을 끝내고 A와 함께 나오던 순간을 형식은 여전히 기억했다. 해냈다는 짜릿함에 기분 좋은 가을바람까지 더해진 그야말로 완벽한 순간. 하늘마저 해 질 녘의 핑크여서 '이건 우리의 핑크빛 미래를 암시하는 건가!' 하는 실없는 소리까지 주고받았더랬다.

계절은 딱 그맘때의 가을날을 지나고 있었다. 오픈한 지 몇 달이 지나 와인바에 손님이 좀 뜸해졌나 싶을 무렵 하얀색 입간판에는 '글라스 와인 4,000원'이라는 종이가 붙었다. 저가 마케팅은 원치 않는 손님까지 부르는 법인데, 라고 형식은 생각했다. 그리고 동시에 다른 생각도 하나 떠올랐다.

'한 번 들어가 볼까?'

떠오른 생각이 지기도 전에 형식은 어느새 몽상미생의 문을 열고 있었다. 몇 달 동안 가볼 엄두조차 내지 않던 그 공간에 왜 갑자기 들어서게 된 것인지 형식은 자신도 설명할 길이 없었다. 아마 그때의 노을이 핑크빛이었던 것 같다. 바람도 선선히 불었던 것 같고.

"어서 오세요! 한 분이세요? 편한 자리로 앉으세요."

혼자인 그를 스스로 원치 않는 손님일 것으로 생각했기에 자연스러운 환대가 형식에게는 부자연스럽게 느껴졌다. 머쓱한 감정을 누르며 형식은 빠르게 공간을 훑었다. 간판처럼 새하얀 색으로 꾸며진 내부는 문밖 계단과는 완전히 다른 세상 같았다. 화려하기보다는 적당히 차분했고 따뜻한 빛의 조명 때문인지 아늑한 느낌이 물씬 풍겼다.

오픈한지 30분 정도가 지난 시각, 안쪽 2인석 테이블에 커플로 보이는 손님 한 팀만이 자리를 채우고 있었다. 그로부터 멀찍이 떨어진 창가 바 테이블로 형식이 자리를 잡자 익숙한 얼굴인 이영이 다가와 자리에 촛불을 밝히고 아이패드로 된 메뉴판을 건넸다. 조명은 아날로그인데 메뉴판은 디지털이네. 형식은 어쩐지 둘이 바뀐 듯한 시스템이 묘하게 색다르다고 느끼며 글라스 와인을 한 잔 시켰다. 혼자 멍하니 와인을 마시고 있자니 시선은 창밖을 향하고 있었지만, 신경은 자꾸만 뒤 카운터의 와인바 사장들에게 쏠렸다. 그들은 무언가 열심히 토론하고 있는 듯했다. 해가 완전히 지고 조명이 선명해졌다. 더 입장하는 손님 없이 커플 손님이 퇴장하고 와인바에는 형식 혼자만 남았다. 잔을 비우고 바로 일어나야겠다고 생각하던 찰나 이영이 쭈뼛거리며 접시 하나를 들고 왔다.

"이거 저희가 치즈 플래터 신메뉴 테스트하느라 만들어본 건데요, 한번 드셔 보세요."

네모난 나무 도마에 가지런히 놓인 갖가지 치즈들. 어딘가 엉성하지만 귀여운 플레이팅이다.

"감사합니다."

남은 와인은 천천히 마셔야겠다, 생각을 바꾸고 형식은 치즈 하나를 집어 입에 넣었다. 머쓱했던 마음이 조금 편안해지는 걸 느꼈다.

사실 형식은 와인을 좋아했다. A와 여행 때 마셨던 포트와인이 너무나 인상 깊은 나머지, 한국에서도 함께 포트와인을 찾아 마시러 다녔었다. 오늘 고른 와인도 포트와인이었다. 메뉴판에서 포트와인을 발견하고서 아까는 좀 들뜨기도 했다. 포트와인은 다크초콜릿이랑 마셔야 하는데. 이영과 친구들은 매장 안 형식의 존재가 익숙해진 건지 아님 아예 잊은 건지 대화 소리가 조금 커졌다. 그릇이 이게 아닌 것 같다느니 구성이 뭔가 부족해 보인다느니 하는 대화를 한참이나 듣고 있자니 형식은 자기도 모르게 그 열띤 토론에 참견하고 싶은 마음이 들었다.

"안주 잘 먹었습니다. 플래터에 초콜릿도 있으면 좋을 것 같아요."

계산하고 나오는 길, 형식은 참지 못하고 한 마디를 건넸다. 건네자마자 괜히 말했다 싶은 마음에 입장하던 순간의 머쓱함을 다시 안고 퇴장했다. 그러나 아무런 대가를 바라지 않은 뜻밖의 훈수는 타율이 좋은 법. 이 주 후 와인바에 다시 들어섰을 때 형식은 알았다. 그때의 머쓱함은 쓸데없는 감정이었다는 걸.

쁘띠 치즈 플래터

4가지 종류의 치즈와 크래커 그리고 초콜릿의 조합

메뉴판에 새롭게 추가된 치즈 플래터 메뉴 아래엔 이런 소개 글이 쓰여 있었다. 다시 찾은 형식을 알아본 이영과 친구들의 감사하다는 인사를 시작으로 형식은 몽상미생의 몇 안 되는 단골이 되었다. 열흘에서 이 주에 한 번. 형식은 너무 자주도 아닌 딱 그 정도의 주기로 몽상미생을 찾았다. 매번 포트와인을 한 잔에서 두 잔, 달짝지근하게 마셨고 몽상미생에 새로운 와인이 들어올 때면 한 잔씩 더 맛보기도 했다. 이영과 재은 그리고 현욱, 몽상미생을 운영하는 이 세 명의 젊은 사장 친구들과 형식은 어느새 편하게 대화를 주고받을 수 있는 사이가 되었다. 재은은 이영의 회사 동기, 현욱은 이영의 대학 동기라고 했다. 진한 이별의 여파와 녹록지 않은 회사 생활이 이어지는 가운데, 습관처럼 떠나던 도피성 여행마저 공허함을 달래주지 못하는 지경에 이르자 이영은 와인바를 열기로 결심했다고 했다.

"무언가 소비하는 데 시간을 보내는 거로 해갈이 안 되더라구요."

그렇게 '소비'가 아닌 '생산' 활동을 시작하고 모처럼 활기 넘치는 나날을 보내는 중이라 얘기하는 이영의 생기 있는 얼굴이, 그 말을 증명해 주는 듯했다. 갈 때마다 조금씩 변해있는 가게의 모습도. 한 주에는 매장 인테리어가, 그 다음 주에는 메뉴 리스트가, 또 그 다음 주에는 메뉴의 플레이팅이 모습을 바꾸곤 했는데 형식은 그 변화를 지켜보는 재미가 쏠쏠했다.

계절은 180도를 돌아 겨울의 끝물을 지나고 있었다. 그때쯤이었다. '코로나'라고 하는, 그때는 꽤 생소했던 단어가 여기저기서 들려오기 시작하던 무렵이. 그 생소한 것이 이후 몇 년간 우리네 일상마저 180도 바꿔놓으리라고는 누구도 예상치 못하던 때였다. 이영과 친구들의 회사에서는 모두 '재택근무'라는 걸 시작했다고 했다. '회사 안 가는 거 개꿀!' 이라 외치며 한껏 밝아졌던 그들의 텐션은 다달이 떨어지는 매출과 비례해서 다운되기 시작했다. 어쩌다 한 번씩 가는 형식이 그 날의 유일한 손님인 날이 점점 늘어났다. 그런 날이면 마감 시간이 한참 남았는데도 형식의 퇴장과 함께 사장 친구들은 마감 준비를 했다.

"다음 달부터 식당 영업 밤 9시까지래."

"우린 그럼 하루에 두 시간 영업할 수 있는 거네……?"

경험상 동업을 할 때 관계가 틀어지는 경우는 크게 두 가지가 있다. 사업이 너무 잘 되거나, 아니면 너무 안 되거나. 형식은 그 둘을 차례로 겪고 A와의 사업을 접었다. '접을 수밖에 없었다'가 좀 더 정확한 표현일 것이다. 첫 계약 이후 형식은 서너 건의 다른 계약을 줄줄이 따냈다. 팀원들도 여럿 뽑았다. 형식의 영업력이 전혀 없었겠냐마는, 그래도 멀리서 보기에 지독히도 운이 좋았던 것이 더 큰 이유였다. 하지만 형식은 그 모든 공을 자신에게로 돌렸다. 정답지를 쥐고 있다는 생각은 홀로 우뚝 선 탑에 있는 듯한 형식의 세계를 더욱 높고 견고하게 만들었다. 지금 생각해 보면 A는 그런 형식을 이해하려 미세한 노력을 계속했던 것 같다. 그래도 괜찮았다. 프로젝트가 진행되는 와중에는 모두가 예민했지만, 다 끝나고 잔금이 치러지면 다시금 평화로웠다. 여유는 지갑에서 나온다고 하지 않던가.

문제는 후자의 케이스였다. 초심자의 행운이 따랐던 프로젝트성 계약이 하나둘 끝난 이후 일은 아주 간헐적으로만 들어왔다. 내가 가진 정답지가, 그때는 먹혔던 이 정답지가, 왜 지금은 아닌 건지 형식은 도무지 이해할 수 없었다. 다른 답을 써 내려가 보자고, A는 계속해서 얘기했지만, 형식은 듣지 않았다. 이것만이 정답이라고. 다른 건 모두 틀린 답이라고. 그렇게 형식은 스스로 쌓아 올린 높은 탑에서 도무지 내려올 줄을 몰랐다. 우뚝 솟은 그 탑은 사실 A라는 지지대가 애쓰며 받치고 있었다는 걸, 형식은 A가 떠나는 날 그 표정을 보고서야 알았다.

"다음 달 문 닫자."

이영은 결연한 표정으로 말을 뱉었다. 화요일이었다. 화요일은 일주일 중에서도 손님이 가장 없는 요일이었고, 그래서 형식이 몽상미생을 주로 찾는 요일이기도 했다. 최종적으로 말을 꺼낸 게 이영이었을 뿐 재은과 현욱도 같은 생각이었기에, 결정을 내리고 휴무 공지를 올리는 데에는 긴 시간이 필요치 않았다.

한 달 동안 간판은 꺼져 있었지만 일주일에 두세 번씩 그 셋은 가게에 모여 시간을 보냈다. 글라스 와인용으로 오픈했지만 미처 다 소진하지 못한 보틀을 한 잔씩 따라 마시며, 와인바 사장들은 스스로가 손님이 되어 모처럼 편하게 자신들이 꾸민 공간을 누렸다. 그냥 모여서 놀 거라고, 심심할 때 내려오시라고 건넨 말에 형식도 가끔 함께했다. 몽상미생에 드나드는 건 이미 형식에게 일상이 된 지 오래였다.

놀 거라던 그들은 형식이 보기에 진짜 놀기만 하진 않았다. 쉴 새 없이 주고받는 그들의 대화는 항상 '무언가 해보자'로 끝이 났다. 그러면 이영은 들고 있던 와인잔을 내려놓고는 카운터의 노트북을 테이블로 가져와, 그 '무언가'를 '어떻게' 할지 이야기하는 재은과 현욱 그리고 이영 본인의 말을 거침없이 받아 적었다. 재은이 생각한 답, 현욱이 떠올린 답, 이영이 그려본 답은 두서없이 모니터에 띄워졌다. 서로가 말하는 게 정답인지 아닌지는 그들에게 중요한 것 같지 않았다. 형식은 그 점이 매우 의아했지만, 회의적인 마음을 입 밖으로 꺼내지는 않았다.

처음에 그 답들은 무작위로 그어진 선 같았다. 아무 의미도 없는, 그저 여러 개의 선. 그들의 만남이 거듭되면서 그 선들은 서로 이어졌다. 그게 동그라미가 되었다가 네모도 되었다가 별이 되었다가 했다. 그들은 그렇게 와인 픽업 서비스, 피크닉 세트 만들기, 인스타툰 올리기, 블로그 체험단 모집 등 다양한 답을 그려냈다. 때로는 심각하게, 때로는 장난스럽게. 한 달은 금세 지나갔다. 와인바의 문을 다시 열었지만 그렇다고 상황이 딱히 나아지지는 않았다. 그 이후로 몇 달이 더 지나도록 정답으로 보이는 그림은 나오지 않았지만, 그들은 계속해서 무언가를 시도했다.

  계절은 흘러 겨울을 지나던 어느 하루였다. 영하 16도까지 떨어지는 한파에 형식은 가지고 있는 방한용품을 총동원하여 간밤의 시간을 버텼다. 정오가 지나서야 슬슬 씻으러 억지로 들어간 욕실에서, 옥탑방에서 맞은 첫 겨울에 봤던 그 한숨 나오는 광경을 한 번 더 마주했다. 일시 정지를 누른 듯, 수도꼭지 끝 물줄기가 모양 그대로 얼어버린 세면대의 광경을. 더위보다는 추위에 강한 형식이었지만 옥탑방 생활에서 더욱 강한 적은 단연코 추위였다. 오늘 씻기는 글렀다고 생각하며 방으로 다시 들어가려는 순간 스치듯 떠오른 생각.
  '오늘 와인바 영업할 수 있으려나.'
  형식은 이영에게 문자로 상황을 설명했다. 평소보다 일찍 퇴근한 현욱이 와인바로 달려와 히터를 틀어두었지만, 오픈 시간이 다 되도록 히터에 찍힌 내부 온도는 한 자릿수를 벗어날 생각이 없었다. 물을 쓸 수 없는 상황. 결국 또 한 번 몽상미생의 인스타그램엔 휴무 공지가 떴다.
  "형님, 저희 접는 게 맞을까요?"
  벌써 두어 시간이나 추위에 떨고 난 현욱의 말엔 지침이 묻어있었다. 이만한 것도 오래 버틴 거라고 형식은 생각했다. 그렇게나 많은 답을 내어보는데도 도무지 나아질 기미가 없는 상황에서 지치지 않는 게 이상한 거였다. 누구 하나 함부로 입 밖에 내지는 않았지만, 그 셋 모두가 지쳐가고 있다는 걸 서로가, 그리고 형식마저 느끼고 있었다.

"원래 언제까지 하려고 했어?"

"글쎄요, 한 3~4년? 준비할 때 농담 반 진담 반으로 저희 중 한 명이 결혼하면 그때 그만두자고 했었어요."

누구 하나가 결혼할 때까지. 현실적이면서도 낭만적인 마감 기한이라고 형식은 생각했다.

가끔 오픈 시간에 맞춰 몽상미생을 찾을 때면 그날 가게를 지키는 둘 중 누구 하나는 넋이 나가 있는 모습을 종종 볼 수 있었다. 어쨌든 그들이 하는 건 투잡 생활이었다. 이른 아침부터 여덟 시간, 때로는 그 이상의 시간을 회사에서 일을 하고 또 일을 하는 루틴. 며칠 전에도 종일 연이은 회의가 있었다던 재은은 진이 빠진 채 한참이나 고장 나 있었더랬다. 삼십 대가 되니 체력이 예전 같지 않다며 우스갯소리처럼 말했지만, 옆에서 보면 힘든 게 당연한 일정이었다. 이런 상황을 예상하지 못한 채, 혹은 가볍게 무시한 채 시작할 수 있었던 건 그야말로 젊음의 패기였으리라. 결혼이라는 인생의 큰 전환점을 맞기 전까지 도전을 해보겠다는 그들의 그때 그 마음가짐이, 사뭇 귀엽다 못해 부럽기까지 했다.

형식 역시 결혼이라는 것을 꿈꿨던 때가 있었다. 어쩌면 결혼이라는 것을 한 기점으로 삼은 것도 와인바 친구들과 비슷했다. 근데 이제 무게중심이 조금 달랐달까. 결혼을 그 자체로 인생의 중요한 전환점으로 생각했던 친구들과는 달리, 형식은 결혼이라는 인생의 중요한 전환점을 맞기 위해 만반의 준비를 해야 한다는데 무게를 두었다. 그렇게나 중요한 결혼을 하려면, 감히 결혼이라는 것을 넘볼 수 있으려면 일단 회사가 얼른 궤도에 올라야 한다고 형식은 생각했다.

그래서였다. 그토록 A를 다그쳤던 건.

A는 회사의 성장과 결혼, 이 두 가지를 형식과 함께 해내야 하는 파트너였으므로.

형식이 A와 연인으로 발전한 건 스스로 차린 회사에서 첫 계약을 따낸 지 얼마 안 돼서였다. 꾸미는 데 도통 관심이 없던 A는 여행 때 처음 만났을 때부터 줄곧 수수한 모습이었다. 그때까지만 해도 형식 본인이 스스로 꼽는 이상형은 '화려한 여자' 쪽에 가까웠다. 전에 만났던 여자 친구들도 기본적으로 꾸미는데 능한 타입이었다. 데이트를 하면 세팅된 모습으로 만나는 것을 좋아했고 형식도 같은 부류였다. 그런 형식의 눈에 수수하기만 한 A가 딱히 이성적으로 느껴지지 않았던 건 당연한 일이었다. 그러니 그렇게 만나기만 하면 일 얘기뿐이었겠지.

회사를 차린 후 첫 외부 미팅이 잡힌 날, A는 지금까지는 본 적 없는 모습으로 미팅 장소에 나타났다. 형식은 미팅 내내 옆에 앉은 A에게로 자꾸 돌아가는 자기 동공을 부여잡느라 아주 애를 먹었다. 그리고 그 이후 형식의 고백까지는 그리 오랜 시간이 걸리지 않았다.

다음 날 아침이 밝자마자 형식은 건물주인 육촌 형님에게 상황을 전했다. 곧 수도 기사가 왔지만 '벽 안쪽 배관이 모두 얼어 자연해동이 아니면 답이 없다'는 말만 남기고 돌아갔다. 형식은 다시 이영에게 문자로 상황을 알렸다. 날씨는 야속하게도 그 후로 이틀을 더 영하 10도 언저리에서 머물렀다. 평소 같았으면 영업과는 상관없이 가게로 왔을 친구들이, 며칠간 도통 보이지 않았다.

코끝에 느껴지는 공기가 모처럼 포근해졌던 날, 형식은 욕실에서 들려오는 물소리에 잠이 깼다. 그렇게 몽상미생이 다시 문을 연 건 일주일이 지난 후였다.

계절은 반 바퀴를 돌아 다시 초여름이었다. 몽상미생은 아무 일도 없었다는 듯 여전히 그 자리에 있었다. 더 이상 거리두기와 같은 자영업 치명타는 시행되지 않았지만, 그렇다고 와인바의 상황이 확연히 좋아진 건 아니었다. 매일 세 명 모두가 도란도란 매장에 나와있던 친구들은, 한 명씩 조용히 돌아가며 자리를 지키고 있을 때도 많았다.

그럼에도, 여전히 그들은 함께 무언갈 시도했고 또 실패했다. 달라진 점이라면 이전만큼 열정에 가득 찬 모습은 아니었다는 것뿐.

근데 왜인지 형식은 그 점이 오히려 좋아 보였다. 이전에 그들의 들뜬 표정에는 왠지 모를 불안도 군데군데 섞여 있었다면, 지금은 군더더기 없이 평온하게 느껴졌다. 하루는 된장찌개로 끼니를 챙겨 먹다 그들을 떠올리기도 했다. 보글보글 한소끔 끓였다가 숟가락으로 거품을 걷어내는 것으로 마무리된 그 찌개가 꼭 그들의 모습 같았달까. 마침내 뜨거운 불에서 건져져 김이 모락모락 나는 채 먹음직스럽게 그릇에 담겨나온, 딱 먹기 좋은 상태의 찌개.

매일 조금씩 변해가는 매장에서 가장 최근에 추가된 콘텐츠는 '굿럭보드'였다. 큰 테이블로 쓰던 유리 상판이 세워져 보드로 변신했고, 옆에는 불투명한 흰색의 트레싱지로 인쇄된 메모지가 비치되었다.

올해 당신이 이루고 싶은 꿈은 무엇인가요?

메모지에는 질문과 함께 사랑, 건강, 도전, 돈 등이 적힌 체크박스와 꿈을 적는 빈칸이 그려져 있었다. 굿럭보드는 형식이 항상 앉는 바 테이블 바로 옆에 위치해서 와인을 마시며 자연스레 구경하게 됐다. 갈 때마다 새롭게 붙은 메모를 찾아 읽는 재미가 쏠쏠했다. 어릴 때는 이런 거 많이 적었었지, 하고 형식은 생각했다. 적는다고 이루어지는 게 아님을 잘 알지만, 그 순간만큼은 지금 자신이 바라는 바에 대해 잠시나마 곰곰이 생각하게 되는 행위. 형식은 불현듯 꿈을 적는 행위의 느낌이 떠올랐다. 그리고 저도 모르게 메모지 하나를 챙겼다. 저마다의 꿈이 적힌 메모지는 날이 갈수록 점점 쌓여, 투명한 유리 보드를 선명하게 채워갔다.

"오늘 내 고등학교 친구들 또 온대."

"요즘 자주 오네! 매번 와줘서 고맙다, 정말."

옥탑방에서 내려오는 길에 오픈 준비를 하는 이영과 재은의 목소리가 들렸다. 더위가 가시고 공기가 선선해질 때쯤 골목에는 사람들이 다시금 붐비기 시작했다. 근처에 야장이 펼쳐진 호프집은 간만에 시끌벅적한 분위기를 연출하기도 했다. 와인바의 사정도 썩 나아진 것 같았다. 언제부턴가 형식은 3층에 배송된 와인 박스의 개수로 가게 사정을 짐작할 수 있었는데, 최근 더 자주 더 많이 배송되었다.

그 와인의 반은 아마도 이영의 고등학교 친구들이 마시지 않았을까 싶다. 이영의 친구들은 그때쯤 일주일에 한 번꼴로 가게를 찾았다. 대학 때 전국 각지로 흩어졌던 그들은 용케 서울에 모두 자리를 잡았다고 했다. 거리두기가 풀릴 무렵, 친구 가게를 도와줄 심산으로 자주 오던 것이 이제는 습관이 된 듯했다. 적게는 두세 명, 많게는 각자의 파트너들까지 열댓 명 가까이 되는 인원이 모여 놀았다. 누군가의 생일, 누군가의 결혼 발표 등 기념할 수 있는 어떤 일이라도 생기면, 가게를 꾸미고 축하 파티를 열었다. 그들에게 몽상미생은 그야말로 아지트였다. 가끔은 몽상미생을 어떻게 발전시킬지 저들끼리 심각하게 토론을 벌이기도 했는데, 사장들만큼이나 이 가게에 애정을 가진 게 분명했다. 그 중에는 이영의 남자 친구도 있었다. 가게 마감 시간을 훌쩍 넘겨 간판까지 끄고 본격적으로 놀다 가는 날이면, 이영과 함께 남아 마무리를 하고 가곤 했다.

"이거 뭐지? 우리 12월 24일 테이블 예약 다 찼는데……?"
12월에 접어든 어느 날의 마감 시간이었다. 들어온 예약을 확인하던 재은이 얼떨떨하지만 설레는 목소리로 얘기했다. 10월, 11월을 지나 한 해가 또 한 번 끝나가는 시점, 기온은 점점 떨어졌지만, 와인바의 온기는 점점 더해져 갔다. 매장을 채우는 음악 소리는 사람들의 대화 소리에 묻히는 날들이 많아졌다. 형식이 오면 그날 와인바를 지키는 셋 중 하나는 으레 하던 일을 미루고 함께 앉아 대화를 나누곤 했으나, 이제는 요리하고 나르느라 눈코 뜰 새 없이 바빴다. 형식은 괜히

본인이 앉아있다가 자리가 부족할까, 언제부턴가 마감 시간이 임박해서만 와인바를 찾았다. 바삐 돌아다니는 사장 친구들에게 '신경 쓰지 않아도 된다'라는 말을 눈으로 전하고는, 굿럭보드를 구경하거나 옆 테이블의 몰래 대화를 엿듣거나 했다. 호들갑스럽게 티를 내진 않았지만, 활기를 찾은 와인바에 앉아있노라면 형식은 괜히 제가 다 뿌듯했다.

　동시에 한편으론 조금 쓸쓸한 마음이 들기도 했다. A가 떠난 후 아무와도 관계를 맺고 싶지 않다는 마음으로 옥탑방에 틀어박힌 형식이었다. 하지만 요 몇 년간 와인바 친구들과 나름 특별한 관계를 맺게 됐음을, 이제는 형식도 어느 정도 인정하는 바였다. 그들이 함께 일하는 걸 보다 보면, 형식이 A와 함께 일하던 때도 자연스레 떠올랐다. 그때는 답이라 굳게 믿었던 것이 지금 보니 답이 아니었을 수 있겠다는 생각도 몰래 하게 됐다. 요즘은 커플 손님들에게도 자꾸만 시선이 갔다. 와인바에 오는 손님 반 이상이 커플인 건 처음부터 항상 그래왔는데, 요즘 유독. 그럼 또 자연스레 A와 함께이던 일상이 떠올랐다.

　그냥 A가, 자꾸 떠올랐다.

"크리스마스 당일도 한 테이블밖에 안 남았어."

"아직 이 주나 남았는데 그날도 풀 부킹 될 수 있겠다."

"대박, 이게 진짜 무슨 일이야? 우리 을지로 핫플 되는 건가!"

　그들은 몇 번이나 우리 진짜 수고했다며 감격스러운 마음을 한껏 드러냈다. 형식은 흐뭇하게 웃으며 기뻐하는 그들에게 축하의 말을 건

넀다.

"근데 테이블 꽉 차면 우리 셋으로 커버가 될까……?"

"아, 그러네. 바 자리까지 다 찬 적이 한 번도 없구나."

기쁨도 잠시, 현실적인 고민이 바로 펼쳐졌다. 요리가 한꺼번에 들어오면 주방에 최소한 두 명은 필요하다느니, 그렇다고 홀을 한 명이 보는 건 말이 안 된다느니, 며칠 전 테이블만 만석이었을 때 이미 아슬아슬했다느니 하는 걱정의 대화가 오갔다.

"내가, 도와줄까? 괜찮으면."

사장 친구들로서는 더없이 고마운 제안이었다. 그들은 흔쾌히 제안을 수락하고 연신 감사하다고 했다. 말을 꺼내는 게 머쓱했을 뿐 일하는 것 자체는 큰 부담이 없는데 이렇게까지 감사함을 받으니 또 한 번 머쓱했다.

동시에 한편으론 설레는 마음이 들기도 했다. '일'이라는 것을 하는 게 퍽이나 오랜만이었던 것이다. 형식은 이영과 함께 홀을 보기로 했다. 이영은 메뉴판과 테이블 번호를 숙지할 것을 당부하고 간단한 서빙 멘트를 알려주었다. 단골이었기 때문에 와인 이름까지 빠삭하게 알고 있어 메뉴 숙지에 큰 어려움은 없었고, 테이블 번호도 금세 외웠다. 다만 사람들을 대해야 한다는 게, 어떤 멘트를 건네야 한다는 게 다소 신경이 쓰였다.

이브 날 오픈 전, 이영은 형식에게 스태프용 스웨트셔츠를 주었다. 몽상미생 로고가 왼쪽 가슴에 박힌 검은색 상의였다. 일하려면 당연히 입으셔야죠, 하는 이영의 장난스러운 명령조에 형식은 고맙다고 답하고 옷을 입었다. 겸사겸사 제작한 스웨트셔츠는 사실 세 친구의 선물임을 눈치 못 챌 형식이 아니었다. 옷까지 갖춰 입고 나니 왠지 모를 사명감까지 들었다.

오픈 직후 잠깐의 버퍼링이 있었을 뿐, 형식의 서빙은 빈틈없었다. 걱정이 무색하게도 멘트는 더없이 유려했다. 그래, 나 한때 영업했었지, 라고 생각하니 남아있던 일말의 긴장감마저 사라졌다. 그렇게 형식은 이브 날, 그리고 크리스마스 당일까지 춤추듯 홀을 누볐다. 최근 몇 년간 보낸 크리스마스와는 사뭇 다른 크리스마스였다.

그 이후로도 종종 사장 친구들은 형식에게 SOS를 쳤다. 연말연초 시즌이 지나가자, 사람들의 발길은 조금 사그라들었고, 재은이 말한 '핫플' 같은 분위기가 자주 연출되진 않았다. 그래도 간간이 단체 예약이 들어왔고, 금요일과 주말에는 워크인 손님만으로도 북적이는 날의 횟수가 꽤 늘었다. 그러다가도 손님이 통 없는 날이면 이젠 익숙하다는 듯 '자영업 쉽지 않네'라는 말을 주고받으며 또 그들끼리 무언가를 구상하곤 했다. 그렇게 조금은 나아진 한 해가 흐르고 다음 크리스마스에도 형식은 까만색 스웨트셔츠를 다시 한번 챙겨입고 세 친구와 함께했다.

"저희 식장 잡았어요."

영업을 마치고 간단히 뒤풀이를 하던 중, 같이 있던 이영의 남자 친구가 말을 꺼냈다. 드디어 가는구나, 하며 건배를 유도하는 재은과 현욱의 축하에 형식도 함께 축하의 말을 얹었다.

둘은 오래된 연인이라고 했다. 이영이 와인바 오픈을 생각하게 만든, 진한 이별의 여파를 안겨줬던 사람이 바로 지금 이영의 남자 친구였다. 형식은 그가 와인바에 입장하던 날을 기억하고 있었다. 아무래도 혼자 오는 손님은 흔치 않았으니까. 그날은 이영과 현욱 둘이서 와인바를 지키는 날이었다. 어서 오세요, 라는 말을 뱉는 순간 굳어지는 이영의 표정에서 그의 정체가 대충은 짐작이 됐다. 그가 누구인지 이미 알고 있던 현욱도 묘하게 행동이 부자연스러워졌다. 아마도 그날이 꽤 오랜 시간을 돌아온 그들의 재회의 순간이었지 싶다. 그가 신중히 골라 앉은 자리에 잠시 후 이영도 마주하고 앉았고, 그 둘은 그날 긴 대화를 나눴다.

몇 달 후 그들은 가게를 내놓았다는 소식을 전했다. 장난 반, 진담 반이라던 '한 명이 결혼하면 그만두자'는 말은 사실 진담의 비중이 더 높았던 듯했다. 소식을 전하는 세 사장 친구들의 표정에는 어쩐지 아쉬움보다 당연함이 더 많아 보였다. 그도 그럴 것이 세 명 각자에게 최근 펼쳐진 상황들은 몽상미생의 마지막을 재촉하는 듯했기 때문이다. 이영의 결혼이 결정의 최종적인 이유가 되긴 했지만, 그간 재은과 현욱에게도 신변의 변화가 생긴 것이 사실이었다. 재은은 회사에서 진급 후 중요한 프로젝트를 맡아 야근하는 날이 많아졌고, 현욱의 회사는 사무실을 옮겨 을지로와는 한참 떨어진 곳으로 이사를 간 게 몇 달 전이었다.

형식은 문득 이전에 이영이 와인 수업에서 배웠다며 알려준 '올드 바인'이라는 단어를 떠올렸다. 포도나무의 수명은 인간과 비슷해서

60년에서 100년 가까이 사는데, 35년이 넘으면 그 나무를 '나이가 들었다'는 의미로 '올드바인'이라 부른다고 했다. 올드바인이 되면 나무의 열리는 송이의 개수가 적어지는 대신, 송이 하나하나의 품질은 뛰어난 포도를 생산하게 된다. 선택과 집중을 하는 거다. 공교롭게도 세 친구의 나이는 어느덧 올드바인을 향해가는 시점이었다.

어쩐지 아쉬운 마음이 드는 건 형식 쪽이었다. 이들이 3층에 들어온 후 형식의 일상은 많이 달라졌다. 무기력으로 뿌옇게 뒤덮였던 하루가 조금씩 걷히는 날들이었다. 의지라고는 이제 한 톨도 남지 않은 줄 알았는데 스스로 무언갈 조금씩 하게 됐다. 딱히 갈 곳도, 주어진 일거리도 없는 상황에서 그가 가장 자주 하게 된 건 청소였다. 방 안에 더 이상 쓰레기를 묵히지 않았고, 몇 없는 잡동사니들을 수시로 정리했다. 그러다 어떤 날은 계단을 말끔히 쓸기도 하고, 어떤 날은 작정하고 화장실을 박박 청소하기도 했다. 그런 날이면 무언가 해낸 스스로에게 보상이라도 주듯 몽상미생으로 향했다.

그리고 처음으로 그들과 함께 일했던 크리스마스이브 날 밤엔, 왠지 들뜬 마음으로 하루를 무한 반복 재생하다 아주 늦은 시간까지 깨어있었다.

올해 당신이 이루고 싶은 꿈은 무엇인가요?

어느 날 불현듯 와인바에서 챙겨와 현관 옆 작은 탁자 위에 올려뒀던 메모지를 집어 들었다. 십여 분간이나 방을 뒤져 펜도 하나 찾았다. 그리고 그보다 더 긴 시간 고민 끝에 한 자 한 자 글씨를 적어내려갔다.

몽상미생 인스타그램에 영업 종료 일자가 공지되고 평소보다 많은 손님들이 가게를 찾았다. 마지막 날은 어김없이 이영의 고등학교 친구들이 장식했다. 그들은 오늘이 몽상미생의 장례식이라며 단체로 검은색 옷을 맞춰 입고 와서는 이영을 상주님, 상주님 하며 불러댔다. 그걸 또 유쾌하게 받아치는 이영을 보니 그들이 괜히 친구가 아니구나 싶었다.

마무리 정리까지 모두 마치고 떠나는 날, 이영은 감사 인사와 함께 청첩장을 건넸다.

"그동안 정말 감사했어요. 결혼식 때 뵐 수 있는 거죠?"

"가야지, 그럼. 내가 더 고마웠어."

'고맙다'는 말이 그다지도 입에서 떨어지지 않던 그였는데 마지막 순간에라도 전할 수 있어서 다행이라고, 형식은 생각했다.

세 친구와 오랜 인사를 마치고 옥탑방에 올라온 형식은 미리 싸둔 짐들을 하나씩 밖으로 꺼내고, 비워진 방을 구석구석 쓸고 닦았다. 현관에 선 채 텅 빈 방을 바라보고 있자니, 매일 몸담고 있던 공간이 왠지 낯설게 느껴졌다. 여길 벗어나는데, 참 오래도 걸렸구나. 형식은 자꾸만 머무르려는 시선을 애써 거두고 몸을 돌려 섰다. 그리고 며칠 전에 적어 내려간 메모지를 소중히 접어 주머니에 넣고는, 캐리어 하나를 챙겨 계단을 내려갔다.

노을이 핑크빛이었다. 바람도 선선히 불었고.

노키즈존

박태영

박태영 안녕하세요. 저는 사회복지사로 일하고 있는 박태영입니다. 아들 둘을 키우고 있는 평범한 가장입니다. 아이를 키우다 보니 평소 노키즈존이나 저출산 등에 자연스럽게 관심을 가지게 되었습니다. 평소 아이들이 친구들과 노는 것을 매우 좋아하는데 아이들이 없어지면 친구도 만들기 어렵겠다는 생각을 소설로 써보게 되었습니다. 아직은 매우 미약한 필력이지만 앞으로 더욱 발전하기 위해 노력하겠습니다. 감사합니다.

"나가세요. 아이는 들어올 수 없습니다. 여기는 노키즈존(No Kids Zone) 입니다."

유전자 편집 기술과 인간의 기억, 마음, 의식 전부를 기계에 업로드할 수 있는 마인드 업로딩(mind uploading)의 발달로 100세 시대를 넘어 1000세 시대를 바라보는 2224년 4월의 오늘, 아이를 위한 존(Zone)은 없다.

합계 출산율이 한 명 이하로 떨어져 걱정하던 시대는 마치 지독한 전염병이었던 '코로나-19'과 같이 기억 속에서 사라져 버렸다. 영생을 꿈꾸는 인간은 이제 신의 영역까지 넘보고 있다. 마치 아주 오래전 일본 만화인 '은하철도 999'의 기계 인간이 눈앞에 현실로 다가왔다. 각자의 사연은 다르겠지만 우리는 이미 철이가 되어 은하철도 999호를 탑승하였다.

이러한 시절에 세대를 구분하는 것은 더 이상 의미가 없다. 다이아몬드 같이 사라지지 않고 영원한 인간의 존재와 인간을 대체할 수 있는 AI를 탑재한 로봇의 발전에만 관심이 있다. 그래서 어린 세대, 곧 아이를 키워낼 필요가 없다. 로봇이 모든 일을 대신할 수 있다는 믿음은 저출산을 넘어 무 출산의 세계로 확대되고 있다. 전 세계가 스스로 노키즈 존이 되어가고 있다.

그럼에도 아이들은 여기저기서 조용히 태어나고 있다. 인간의 종족 보존과 번성의 욕구는 없애지 못했기 때문이다. 하지만 아이를 낳은 부모조차 아이에게 많은 관심을 주지 않는다. 육아로 고생했던 지난 세대의 DNA를 물려받아 모성애마저 사라져 버렸기 때문이다. 아이를 향한 무조건적인 사랑과 헌신은 이제는 더 이상 미덕이 아니다. 그래서 세상은 아이들이 놀 수 있는 놀이터의 존재조차 허락하지 않는다. 태어남을 당한 아이들은 오로지 학교라는 공간에 갇혀 살아가게 된다. 그 어디에도 아이들을 위하는 애틋한 정이라는 것은 없다.

오늘도 수진이는 학교에서 선생님과 말씨름을 하고 있다. 수진이는 몇 남지 않은 서울초등학교의 6학년 학생이다. 아이를 낳지 않는 문화가 당연시되다 보니 서울에는 서울초등학교 하나밖에 남지 않았다. 그리고 수진이네 반은 최수진, 이도윤 2명뿐이다. 아이가 없다 보니 한 학년에 아이들은 두 명뿐이다. 로봇 선생님께 수업받는 중인데 로봇과는 말이 통하지 않는다며 몇 일째 수업을 거부하고 있다. 교실 밖을 나온 수진이는 학교 도서관에 몰래 들어가 먼지가 수북이 쌓여있는 오래된 종이책을 꺼내 읽는다. 수진이는 모든 것이 편리하게 전자화된 디지털 시대지만 조금은 불편한 아날로그 방식이 더 마음에 들었다.

"이렇게 재미있는 책을 왜 못 읽게 하는 거야?"

학교 도서관의 거의 모든 책은 전자책이었지만 아주 오래된 종이책도 일부 보관되어 있었다. 무슨 이유인지는 모르겠지만 학교에서는 이런 오래된 종이책들을 읽지 못하게 하였다. 감추고 싶은 과거가 있어서 그런 것일까? 그렇다고 수진이는 이에 굴복하는 아이가 아니었다. 몰래 만든 개구멍으로 혼자 있고 싶을 때 비밀 창고에 들어가 종이책을 읽곤 했다.

"여기 있을 줄 알았지. 언제까지 선생님을 피할 거니?"

책을 다 읽고 나가려던 수진이가 도서관 입구에서 유일한 친구인 도윤이를 만났다.

"글쎄. 그런데 도대체 왜 우리는 학교에 갇혀 있어야 하는 걸까?"

수진이는 도서관 의자에 털썩 주저앉으며 뾰로통한 표정으로 말했다.

"어차피 밖에 나가도 다 노키즈 존이라 우리가 갈대는 없어. 어제 뉴스를 보니 이제는 쇼핑몰하고 도서관도 다 노키즈 존이 되었대. 그거참 재미있지?"

도윤이가 밝은 웃음을 지으며 말했다. 도윤이는 지금 세상이 그리 싫지만은 않다.

아이가 줄어들다 보니 아이를 위해주는 곳은 아무 데도 없다. 아이들보다 반려동물이 더 환영받는 세상이다. 식당에도 어린이 메뉴는 없어지고 반려동물을 위한 신상 메뉴들만 줄지어 출시되고 있다. 인간은 아무래도 외로움을 느끼는 존재이기 때문에 반려동물들이 점점 늘어나고 있다. 물론 언젠가는 반려동물도 로봇으로 대체되는 시대가 올 것이다. 하지만 아직은 아이들의 빈자리를 반려동물들이 메우고 있다. 이렇게 출산율이 0명에 가까운 상황에 존재하는 것조차 어이없는 도윤과 수진이다.

"부모님은 우리를 왜 낳았을까?"

수진이가 도윤이에게 무표정으로 물었다.

"글쎄, 부모님은 아이들에게 인간 친구를 만들어 주고 싶어서 그런 것 아닐까?"

도윤이가 해맑은 표정으로 대답했다.

"너나 나 둘 중 한 명이라도 없으면 우리에겐 같이 행복하게 놀 수 있는 친구라는 것이 없는 거니까."

도윤이 웃으며 말한다.

"그래. 친구는 꼭 있어야지. 행복하게 놀 수 있는 친구라……"

수진이는 잠시 생각에 잠겼다.

어릴 적 수진이는 잠시나마 가족들과 함께 도시를 떠나 속초라는 시골에서 행복한 시간을 보냈던 기억이 있다. 속초는 개발제한구역으로 그나마 자연이 많이 보존되어 있고 로봇이 거의 없는 곳이었다. 그럼에도 아이가 없는 곳이었다. 속초로 떠나는 이유는 잘 몰랐지만, 항상 일에 몰두해 있던 엄마, 아빠와 시간을 보낼 수 있다는 생각에 수진이는 마냥 신났었다. 그리고 차가운 알루미늄으로 만들어진 로봇도 멀리

할 수 있어 그것 또한 좋았다.

수진이의 가족 구성원은 수진과 엄마, 아빠 이렇게 세 명이다. 엄마는 겨울에 피는 동백꽃을 좋아하는 의사였고 아빠는 아이스 아메리카노를 즐기는 로봇을 만드는 기술자였다. 엄마는 유전자 편집 기술의 혁신적인 발전에 혁혁한 공을 세운 인재였고 아빠 역시 인간의 뇌와 마음을 로봇과 연결하는 기술의 권위자였다. 그러다 보니 당연히 수진과 함께하는 시간은 적었다. 사실 수진이는 엄마와 아빠가 로봇일 수도 있다는 의심을 하고 있었다. 그만큼 집에서도 금속과 같이 몸과 마음이 차가운 엄마, 아빠였다.

아무튼 인간보다 로봇과 함께하는 시간이 더 많은 엄마와 아빠가 인간을 닮아가는 로봇이 보기 싫다는 핑계를 대는 것이 이해는 안 됐지만 그러한 이유로 수진이는 부모님을 따라 한적한 시골 생활을 하게 되었다. 수진이는 아직도 속초에 처음 도착하였을 때 코끝에 짜릿하게 느껴지는 바다 짠 내를 잊지 못한다.

"엄마. 여기에도 학교가 있어?"

수진이가 약간 떨떠름한 표정으로 엄마에게 물었다.

"아니. 여기는 학교가 없어. 학교가 없으니 학교에 안 가도 되겠지?"

엄마가 어색하게 웃으며 말했다.

"그래도 로봇 선생님께 배울 게 많았었는데…… 조금 아쉽네. 아무튼 아침에 일찍 일어나지 않아도 돼서 좋다."

수진이는 초등학교 1학년을 마치고 속초로 내려온 터라 잘 적응하고 있었던 학교생활에 조금은 아쉬움이 있었다. 하지만 지금은 새로운

노키즈존 · 225

경험에 대한 기대감이 더 크다.

"수진아. 우리가 얼마나 여기에 살지는 모르겠지만 여기 있는 동안에 아빠랑 즐거운 시간을 많이 보내자"

서울에서는 로봇을 만들고 고치느라 바빠 많이 놀아주지 못했던 아빠가 큰마음을 먹고 약속한다. 수진이는 어색했지만, 고개를 끄덕였다.

그렇게 잠시 서울을 떠나 속초로 내려온 수진이는 가족들과 잊지 못할 행복한 시간을 보냈다. 어떤 날은 바닷가에서 하루 종일 모래놀이를 하기도 했고 어떤 날에는 하루 종일 바다에 들어가 물놀이를 하기도 했다. 또 다른 날에는 산에 올라 맑은 공기를 마시며 자연을 만끽하였다. 지금은 없어진 놀이터를 자연 속에서 되찾은 기분이었다. 잠시나마 아이로서 행복을 찾기 힘든 세상을 까마득하게 잊어버릴 수 있었다. 그나마 가족이 없었다면 세상 속에 혼자 남겨졌을 아이일 뿐이었기 때문이다.

"수진아. 여기로 와봐. 여기 강아지풀이 엄청 많이 있어."

아빠가 활짝 웃으며 수진이를 불렀다. 아빠의 밝은 목소리가 조금은 어색한 수진이었지만 아빠에게 다가갔다.

"우와 되게 신기하게 생겼어요. 강아지풀을 실제로 보는 건 처음이에요."

수진이가 호기심이 가득한 눈으로 대답한다.

"수진아. 이 풀을 왜 강아지풀이라고 부르는지 아니?"

"아니요 잘 모르겠어요. 강아지처럼 털이 많아서 그런가?"

"아 그럴 수도 있겠다. 근데 잘 봐 봐. 우쭈쭈쭈 이리 오렴."

아빠가 강아지풀을 손바닥 위에 올리고 좌우로 흔드니 풀이 강아지처럼 아빠 쪽으로 걸어왔다.

"와 신기하다. 이걸 어떻게 알았어요?"

"수진아. 이렇게 세상에 존재하는 것에는 우리가 알 수 없는 이유가 다 있단다. 무엇이든 존재 이유와 역할이 있어. 잘 기억하고 사소한 것도 소중하게 다뤄 주렴."

쨍하게 비치는 햇살에 수진이가 눈을 떴다. 지난밤 같이 잠을 잤던 엄마와 아빠는 자리에 없었다. 수진이는 집 앞 마당으로 혼자 나갔다. 마당에도 엄마와 아빠는 보이지 않았다. 그때 누군가가 말을 걸었다.

"넌 누구니?"

"아이 깜짝이야. 너야말로 누구야? 왜 남의 집 마당에 들어와 있는 거야?"

수진이는 깜짝 놀랐지만 놀라지 않은 척 당당하게 말했다.

"난 지수라고 해. 이 집은 오래전부터 비어 있었는데 소리가 나길래 와 봤어. 놀라게 했다면 미안해."

"누가 놀랐다고 그래. 난 잠시 다른 생각을 하고 있었을 뿐이야. 난 최수진이라고 해. 속초에는 아이가 없다고 했는데 넌 어디서 왔어?"

"너야말로 어디서 왔니? 난 계속 속초에서 살았는데?"

지수의 나이를 가늠할 수 없었지만 수진이와 비슷한 또래인 것 같았다. 속초에는 분명히 아이가 없다는 것을 알고 있던 수진이는 조금은 미심쩍었지만, 지수의 털털한 성격이 마음에 들었다. 지수도 본인과 또래인 수진이가 싫지만은 않았다. 그래서인지 둘은 대화가 잘 통하였고 금방 친해질 수 있었다.

"아 서울에서 왔구나. 근데 무슨 일로 이 시골까지 왔어?"

"엄마랑 아빠가 로봇이 싫어졌대. 그래서 로봇이 별로 없는 속초로 왔어."

"아 그랬구나. 근데 밤마다 집에서 쿵쿵 소리가 나던데 무슨 소리야?"

"무슨 소리? 밤에 아무 소리도 안 났는데?"

잠귀가 어두운 수진이었다. 무슨 소리인지 더 물어보고 싶었지만, 그냥 말하지 않았다. 본인이 잘 모르는 것에 관해서는 이야기하고 싶지 않은 것도 있고 어쩐지 엄마와 아빠가 소리와 관련되어 있을 것 같은 기분이 들었다. 그래서 더욱 이야기하고 싶지 않았다. 그래서 화제를 바꾸고자 말을 이었다.

"지수야. 넌 이렇게 공기 좋고 물도 맑은 속초에 살아서 좋겠다."

수진이가 한숨을 푹 쉬며 말한다.

"잠시 이쪽으로 와 볼래?"

지수가 수진이 손을 잡고 이끌었다.

"너무 멀리 가면 안 돼. 엄마랑 아빠한테 허락도 안 받았는데……"

그때 눈앞에 펼쳐진 것은 오래된 놀이터였다. 서울에서는 흔적조차 찾아볼 수 없는 놀이터가 있었다. 물론 관리가 되지 않아 여기저기 녹

슬고 삐걱댔지만, 미끄럼틀과 시소, 그네까지 있을 건 다 있었다.

"우와 여기는 뭐야? 책에서만 봤던 놀이터잖아?"

수진이는 책에서만 봤던 놀이터를 실제로 보게 되어 매우 신기해했다.

"예전에 엄마한테 들었는데 서울에는 놀이터가 없어졌다고 하더라. 그래서 너한테 보여주면 좋아할 것 같았어."

지수는 뿌듯한 표정으로 수진이에게 말했다. 개발제한구역인 속초에는 그래도 이렇게나마 아이를 위한 공간들의 흔적이 남아있었다. 둘은 시간이 가는 줄 모르고 놀이터에서 놀았다. 책이나 영상으로만 봐왔던 놀이터에 있는 기구를 타며 수진이는 마치 옛날로 돌아간 것 같은 기분을 느낄 수 있었다. 시끌벅적하게 아이들이 떠들며 신나게 놀이기구를 타는 모습들…… 저쪽 여자아이들은 술래잡기하고 있고 이쪽 남자아이들은 말타기하는 모습들…… 상상의 나래를 마음껏 펼치며 통쾌한 자유를 느낄 수 있었다.

그렇게 늦은 시간까지 놀다 집으로 돌아온 수진이는 엄마와 아빠한테 크게 혼났다. 아직은 낯선 곳인데 허락도 받지 않고 낯선 아이를 따라 놀다 왔기 때문이다. 다시 도시의 모습으로 돌아가 차갑게 혼내는 엄마와 아빠를 보며 수진이는 다시 한번 로봇일 거로 의심하고 있다.

수진이는 자신을 동물원에서 탈출한 동물 취급하는 것이 너무나 싫었다. 무엇인가 실험 대상이 된 것만 같았다. 하지만 지수라는 친구를 알게 되었고 함께 행복하게 놀았던 기억으로 슬픔을 이겨낼 수 있었다. 도시에 있었을 때라면 펑펑 울었을 수진이었지만 울지 않았다. 다시 지수를 만나면 행복해질 것이라는 생각이 들었기 때문이다.

하지만 마냥 행복할 것만 같았던 지수와의 만남과 자연의 놀이터에서 함께하는 삶은 그리 오래가지 않았다. 수진이 엄마와 아빠는 마치 숙제를 다 끝마친 사람처럼 서둘러 서울로 올라가고자 했다. 속초에 올 때처럼 다시 서울로 올라갈 때도 수진이의 생각이나 의견은 묻지 않았다. 수진이 아빠와 엄마는 아직 이 세상에서 해야 할 일과 할 수 있는 일이 너무나 많았기 때문이다.

"수진아. 오늘 할말이 있어. 잠시 여기로 와 볼래?"

수진이네 가족이 모두 모인 자리에서 아빠가 무거운 목소리로 말을 꺼냈다.

"인제 그만 서울로 올라가자. 엄마와 아빠를 찾는 사람들이 너무나 많아."

수진이는 크게 놀라지 않은 표정으로 담담하게 대답했다.

"네 알겠어요. 사실 어제 아빠가 통화하는 걸 다 들어서 이미 마음의 준비를 하고 있었어요"

아빠의 과제가 다 완성되었다는 내용이었는데 수진이는 다 이해하지는 못했지만, 속초에 온 이유를 조금이나마 알 수 있을 것 같았다.

"우리 수진이가 다 컸구나. 서울에 다시 올라가서 학교도 다니고 친구도 사귀면 여기보다 더 즐거운 일상을 보낼 수 있을 꺼야. 아빠가 다 도와줄게."

수진이는 단호한 아빠의 말투가 썩 내키지 않았지만, 고개를 끄덕였다.

그렇게 수진이네 가족은 다시 서울로 올라가게 되었고 수진이는 서울초등학교에서 도윤이라는 친구를 만나게 되었다. 그리고 수진이 엄마와 아빠는 로봇과 딱딱한 일상에 복귀하였고 역시나 수진과 함께하는 시간은 줄어들었다. 하지만 수진이는 서울의 삶에 금방 다시 적응하여 잘 살아내고 있었고, 벌써 서울에 다시 올라온 지도 4년이 흘렀다.

"아이를 위한 나라는 없는 것 같아. 그렇지?"

수진이가 냉소를 머금으며 말한다.

"맞아. 어제 한자 시험은 너무 어려웠어. 넌 한자 시험 100점 맞았잖아? 근데 행복하지 않아?"

도윤이가 수진이를 보며 묻는다.

"행복하지. 시험 100점 맞아서 하고 싶은 게임도 마음대로 할 수 있었고 말이야. 단지 난 학교에조차 놀이터가 없다는 것이 답답할 따름이야."

서울초등학교는 놀이터가 있던 자리에 로봇 축구장을 짓고 있다.

"놀이터보다는 로봇 축구대회가 더 재미있을 것 같지 않아?

"아니. 로봇은 축구를 엄청나게 못하잖아."

수진이가 웃으며 대답한다.

"아무튼 이제는 학교에도 아이들을 위한 것들이 없어진다는 것은 우리도 곧 없어질 거라는 뜻이지 않을까?"

수진이의 표정이 어두워진다.

"아니야. 우리는 보존 가치가 있는 몇 남지 않은 아이들이니까 지켜 줄 거야. 로봇 친구라도 만들어 주지 않을까?"

도윤이가 어색하게 웃으며 대답한다.

"물론 우리를 위해주지 않는다는 것은 그만큼 우리에게 기대가 없다는 뜻이기도 하니까. 우리의 실수에 아무도 관심이 없잖아. 내가 산수를 0점을 받아도 아무도 관심이 없다는 뜻이야."

수진이가 비웃듯이 말했다.

아이를 위해주지 않는 곳에서 아이들의 자유란 무엇일까? 위해주지 않는 것에 오히려 편안함을 느끼는 것이 자유일까? 자유라는 것을 생각하다 보니 문득 수진이는 지수가 생각이 났다. 속초에서 자유로움을 만끽했던 지수와의 추억이 떠올랐다. 그리고 아직도 놀이터가 있는지도 궁금해졌다.

"도윤아. 우리 속초에 가 볼래?"

도윤과 수진은 로봇 선생님의 감시망을 어렵사리 피해 학교를 벗어났다. 쉬는 시간이 되면 로봇 선생님이 충전하러 간다는 걸 아는 수진이는 그 시간만 기다렸다. 수진이는 몸에 GPS가 삽입되어 있음을 알고 있었지만 마치 넬슨 만델라처럼 인권을 위해 투쟁하듯 자유를 찾아나섰다. 한 번도 서울을 벗어나 본 적이 없는 도윤은 겁이 났지만, 수진을 따라나섰다. 도윤은 마치 옛날 영화인 '트루먼 쇼'를 떠올리며 본인이 주인공이 된 듯이 상기되어 있다.

"도윤아. 기분이 어때?"

수진이가 해맑게 웃으며 묻는다.

"글쎄. 이런 경험이 처음이라 어떤 단어로 표현해야 하는지 잘 모르겠어."

어색한 미소를 지으며 딱딱한 말투로 도윤이가 대답한다. 그렇게 둘은 드론 택시를 타고 속초에 왔다. 코끝을 찡하게 울리는 바다 짠 내는 여전했다. 지도에 기록되어 있던 데이터를 통해 예전에 잠시 머물렀던 속초 집을 찾아갔다. GPS와 드론 택시비의 온라인 결제로 수진이네 부모님께 통보가 갔을 터인데 아무런 연락이 없었다. 수진이는 그렇게 부모님의 관심을 확인하고 싶었지만 역시나 관심이 없었다.

"그래. 우리가 어디로 가든지 아무도 관심이 없어."

수진이는 약간은 겁먹은 표정이었지만 금세 환하게 웃으며 말했다.

그렇게 둘은 먼지가 소복이 쌓여있는 속초의 집으로 들어갔다. 마당을 보며 수진이는 지수를 만났던 추억을 잠시 떠올렸다. 하지만 속초 집은 진공 상태처럼 아무 흔적 없이 고요했다. 마치 누군가 미리 와서 일부러 흔적을 지운 듯한 기분이 들 정도였다.

"수진아. 속초는 도시와 느낌이 아주 다르구나. 하늘에 드론 택시도 없고."

도윤이가 신기하다는 듯한 표정으로 묻는다.

"여기는 개발제한구역이라 도시만큼 개발되지 않았어. 그만큼 자연이 더 잘 보존되어 있다고 할 수 있지. 오면서 말했었지만 놀이터도 있었다니까? 지금은 있을지 모르겠지만"

수진이는 신이 난 듯 어깨를 들썩거리며 말했다.

"그런데 나 이 공간이 엄청 익숙하게 느껴지는 이유는 뭘까?"

도윤이의 표정이 어두워졌다.

"무엇인가 나도 전에 한번 와봤던 곳인 것 같아."

"속초를 와봤었다고? 한 번도 서울을 벗어나 본 적이 없다고 하지 않았어?"

"맞아. 분명히 내 기억은 그게 맞는데. 이 집의 느낌이 참 이상하게 익숙해"

도윤은 혼란스러운 표정으로 멍하게 서 있었다.

"아무튼 우리 놀이터 가보자."

수진이는 처음 보는 도윤이의 혼란스러운 표정이 걱정되어 화제를 전환하려고 놀이터를 꺼내었다.

"놀이터……"

그때였다. 더욱 혼란스러운 표정을 짓고 있던 도윤이의 몸에서 이상한 경보음이 울리기 시작했다. 이상한 기운을 느낀 수진이는 도윤이의 손을 꼭 잡았다. 수진이는 소리에 깜짝 놀라 정신이 없었지만 침착하게 대처하려고 노력하였다. 경보음이 울리는 곳을 찾으려 애를 썼지만 찾을 수 없었다. 도윤이의 몸 어딘가에서 계속 소리가 울렸다.

"삐-삐-. 수진아. 고마워. 나를 고향에 데리고 와줘서…… 삐-삐-"

도윤이는 경보음을 피해 어렵게 말을 꺼냈다.

"무슨 말이야. 일단 소리부터 꺼보자. 내가 얼른 119를 부를게."

"아니야 그럴 필요 없어. 삐-삐-. 자동제어시스템으로 내 몸은 곧 꺼질 꺼야."

"말도 안 되는 말은 그만하고 좀 누워서 쉬고 있어"

"수진아. 정말 고마워. 삐-삐-. 네 덕분에 조금이나마 인간의 마음을 얻을 수 있었어. 이런 말도 정책 위반으로 할 수 없는 말들인데 이렇게 자유롭게 할 수 있는 것을 보니 로봇 속에 갇혀있던 내가 인간의 자유를 조금이나마 얻을 수 있게 되었나 봐. 삐-삐-"

도윤이는 마지막 안간힘을 쓰며 말을 이어갔다.

"삐-삐-. 수진아. 우리 여전히 친구 맞지? 삐-삐- low battery. low battery."

이미 눈빛마저 꺼져버린 도윤이는 점점 몸이 굳어지며 이상한 소리를 내기 시작했다. 목소리도 더 이상 도윤이의 목소리가 아닌 기계음이었다. 그렇게 차갑게 식어버린 도윤이의 몸은 멈췄다.

눈앞에 벌어진 충격적인 사건을 보고 수진이는 털썩 주저앉았다. 도윤이는 아이 로봇이었다. 유일한 인간 친구인 줄 알았던 도윤이가 로봇이었다니 믿을 수가 없었다.

"도윤아. 도윤아."

수진이는 눈물을 참으며 도윤이의 이름만 불렀다. 하지만 돌아오는 것은 공허한 메아리뿐이었다. 수진이는 아직 이 상황이 전부 이해되지는 않았지만, 도윤이와의 헤어짐은 명확하게 느낄 수 있었다. 그래서 무엇인가 따뜻한 말을 전하고 싶었다.

"도윤아. 듣고 있어? 나도 아주 고마웠어. 네가 없었다면 정말 외로 웠을 꺼야. 이럴 줄 알았다면 속초에 오자고 하지도 않았을 텐데……
여기에 오자고 해서 미안해"

수진이는 뜨거운 눈물을 흘렸다. 아직은 도윤이가 로봇이기보다는 인간으로 느껴졌다. 도윤이가 인간의 감정까지 학습하려고 노력한 모 습에 더욱더 따뜻함을 느낄 수 있었다. 로봇은 다 차가운 줄 만 알고 있었는데 도윤이는 다르게 느껴졌다.

그때 도윤이의 벗겨진 몸에서 수진이의 눈에 또렷한 글씨가 보 였다.

[Project I] Ver1 김지수(여) - Ver2 이도윤(남) Made by 최철호 박사

최철호는 수진이 아빠의 이름이었다.

속초에서 서울로 올라가기로 했던 날 아빠와의 대화가 떠올랐다.

"아빠가 다 도와줄게."

수진이는 오늘도 열심히 학교에서 수업을 듣고 있다. 로봇 선생님 의 메모리 안에 들어있는 모든 정보를 다 학습하겠다는 굳은 의지를 가지고 열정적으로 공부하고 있다. 친구의 존재를 잊기 위해 공부에 몰두하는 것일 수도 있겠다. 그것보다는 서울에 혼자 남은 아이라는 자부심을 가지고 인간다운 삶을 살고자 하는 것이 더 맞겠다. 로봇은 공부라는 것을 할 필요가 없기 때문이다. 메모리로 정보를 전송하면 그만이다.

그래서 도윤이라는 친구는 학교에서는 존재할 필요가 없는 아이였다. 그럼에도 수진이 엄마와 아빠는 왜 도윤이를 만들었을까? 그렇게 냉정하고 비정하게 아이를 대하면서도 아이를 위한 친구를 만들었던 이유는 무엇이었을까?

　"수진아. 요새 학교생활은 어떻니?"
　아빠가 아주 오래간만에 수진이를 만나 물었다.
　"열심히 공부하고 있어요. 얼마 전에는 도덕 시험도 100점 받았어요."
　어색하게 밝은 모습으로 대답하는 수진이다.
　"아빠. 저 도덕 시험 100점 받았는데 선물 하나 주시면 안 돼요?"
　수진이가 굳은 표정으로 아빠에게 말한다.
　"그럼. 당연히 줄 수 있지. 우리 예쁜 딸이 원하는 게 뭘까?"
　아빠가 흥미로운 표정으로 수진이에게 물었다.
　"도윤이를 다시 만들어 주세요"
　억지웃음을 지으며 대화하던 수진이는 굳은 결심을 한 듯 입을 앙다물었다.

　수진이는 여전히 학교에서 열심히 수업을 듣고 있다. 창밖에는 갑자기 비가 내리고 있었다. 인위적인 로봇에 둘러싸인 세상에 비가 내리는 하늘의 모습은 어색하기만 했다. 수진이는 이제 더 이상 로봇 선생님과 말씨름을 하지 않는다. 그리고 도서관도 가지 않는다. 그래서 더 이상 종이책도 읽지 않는다. 중학교 진학을 앞둔 수진이는 사뭇 변했다. 그렇게 현실에 억지로 순응하고 있었다. 옆 건물에 있는 과학실로 가던 수진이는 비를 피해 우연히 도서관으로 들어가게 되었다.

"도서관 오래간만이네."

혼자에 익숙한 줄 알았는데 혼자 도서관에 있는 모습이 엄청 어색하게 느껴졌다. 그래서 수진도 모르게 혼잣말을 해버렸다.

"여기 있을 줄 알았지. 아직도 선생님을 피하고 있니?"

"누구세요? 여기는 지금 아무도 없을 시간인데……"

"나를 벌써 잊은 거야? 나 도윤이야. 도서관에서 너를 기다리고 있었어. 왜 그동안 도서관에 오지 않은 거야?"

"이도윤!"

수진이는 목소리만 듣고 이미 누구인지 알 수 있었다. 미안함과 반가운 감정이 물밀듯이 밀려들었지만 담담한 척했다.

"도윤아. 그동안 어디 갔다 왔어?"

뜨거운 눈물을 참으며 수진이가 물었다.

"나 도서관에 있었다니까. 혹시 나 찾고 있었던 거야?"

도윤이가 환한 웃음을 지으며 대답했다.

"그럼 찾고 있었지. 우린 하나밖에 없는 친구인데……"

앓음다운 당신에게

발행 2024년 7월 7일

지은이 이은하, 유하경, 이음, 박지혜, 김영조, 김승아, 제이, 에그, 박태영

라이팅리더 양기연

디자인 윤소정

펴낸이 정원우

펴낸곳 글ego

출판등록 2019.06.21 (제2019-000227호)

주소 서울시 강남구 강남대로 118길 24 3층

이메일 writing4ego@gmail.com

홈페이지 http://egowriting.com

인스타그램 @egowriting

ISBN 979-11-6666-514-1